DU MÊME AUTEUR

THÉÂTRE COMPLET

Théâtre complet 1 : Les Coréens – Les Huissiers, Actes Sud, 2004.
Théâtre complet 2 : Iphigénie Hôtel – Par-dessus bord, Actes Sud, 2003.
Théâtre complet 3 : La Demande d'emploi – Dissident, il va sans dire – Nina, c'est autre chose, L'Arche, 2004.
Théâtre complet 4 : Les Travaux et les Jours – À la renverse (nouvelle version), L'Arche, 2002.
Théâtre complet 5 : L'Ordinaire – Les Voisins, Actes Sud, 2002.
Théâtre complet 6 : Portrait d'une femme – L'Émission de télévision, Actes Sud, 2002.
Théâtre complet 7 : Le Dernier Sursaut – King – La Fête du cordonnier, Actes Sud, 2005.
Théâtre complet 8 : L'Objecteur – 11 septembre 2001 – Les Troyennes, L'Arche, 2003.
Bettencourt boulevard ou *Une histoire de France*, L'Arche, 2014.

ÉCRITS THÉORIQUES

Le Compte rendu d'Avignon, Actes Sud, 1987.
Écritures dramatiques (sous la direction de), Actes Sud, 1993.
Écrits sur le théâtre 1, L'Arche, 1998.
Écrits sur le théâtre 2, L'Arche, 1998.
La Visite du chancelier autrichien en Suisse, L'Arche, 2000.

ROMANS

Lataume, Gallimard, 1950.
L'Objecteur, Gallimard, 1951.
Les Histoires de Rosalie, "Castor poche", Flammarion, 1980.

Également disponible en collection Babel :

King suivi de *Les Huissiers*, Babel n° 360.
Écritures dramatiques (sous la direction de), Babel n° 446.

L'ORDINAIRE

L'entretien de Michel Vinaver avec Evelyne Ertel proposé en postface est paru à l'automne 2008 aux Presses de la Sorbonne Nouvelle, dans un numéro spécial de la revue *Registres* (I/2008) intitulé *Michel Vinaver, côté texte / côté scène*.

© ACTES SUD, 1986, 2002
ISBN 978-2-7427-8036-5

MICHEL VINAVER

L'ORDINAIRE

PIÈCE EN SEPT MORCEAUX

suivi d'un entretien avec Evelyne Ertel :
"Michel Vinaver metteur en scène"

L'ORDINAIRE

Cette pièce, écrite en 1981, a sa source dans un fait divers survenu en 1972. Elle a été publiée pour la première fois par les Editions de l'Aire, Lausanne, en 1982, et créée au Théâtre national de Chaillot, salle Gémier, le 10 mars 1983 dans une mise en scène d'Alain Françon et Michel Vinaver.

Entrée au répertoire de la Comédie-Française, et première représentation à la Comédie-Française, salle Richelieu, le 7 février 2009.

Mise en scène :	Michel Vinaver et Gilone Brun
Collaboration artistique :	Sarah Siré
Scénographie et costumes :	Gilone Brun
Collaboration à la scénographie :	Yvett Rotscheid
Lumières :	Olivier Modol
Espace sonore :	Michaël Grébil
Travail chorégraphique :	Opiyo Okach
Maquillage :	Cécile Kretchmar
Assistante stagiaire à la scénographie, aux costumes et aux accessoires :	Olivia Barisano

Avec

Martine Chevallier :	Bess
Jean-Baptiste Malartre :	Bob
Elsa Lepoivre :	Pat

Nicolas Lormeau : Joe
Christian Gonon : Jack
Léonie Simaga : Sue
Grégory Gadebois : Jim
Pierre Louis-Calixte : Dick
Gilles David : Ed

et

Priscilla Bescomb : Nan
Gilles Janeyrand : Bill

L'ORDINAIRE

Pièce en sept morceaux

PERSONNAGES

Bob (Robert Lamb), *cinquante ans, président de Housies*

Bess (Elizabeth Lamb), *quarante-sept ans, sa femme*

Pat (Patricia Fielding), *trente-cinq ans, sa secrétaire*

Joe (Joseph di Santo), *quarante ans, vice-président de Housies chargé du marketing*

Nan (Nancy di Santo), *dix-huit ans, sa fille*

Jack (John Hirschfeld), *quarante-huit ans, senior vice-président de Housies chargé de la recherche et de la fabrication*

Sue (Susan Beaver), *vingt-huit ans, maîtresse de Jack*

Dick (Richard Sutton), *quarante et un ans, senior vice-président de Housies chargé de l'Amérique latine*

Ed (Edward MacCoy), *cinquante-deux ans, senior vice-président de Housies chargé de l'administration et des finances*

Bill (William Gladstone), *quarante-six ans, pilote*

Jim (James King), *vingt-cinq ans, copilote*

UN

L'intérieur de la cabine de l'avion. Bess, Bob, Dick et Joe, autour d'une table, jouent aux cartes. Pat, à une autre table, tape à la machine. Sur une couchette, Ed dort. Sur une autre couchette, Sue, allongée, lit un magazine, la tête sur les genoux de Jack, assis dans l'angle. Nan se fait les ongles des pieds. Jim, par intermittence, va et vient entre la cabine et le poste de pilotage.

SUE

C'est fini Jack

C'est la fin de notre histoire

JACK

Mais Santiago est une ville sinistre

SUE

J'aimerais que tu ne reviennes pas encore une fois là-dessus

11

Dans le fond toi aussi

Tu sais que c'est fini

JACK

Tu ne m'aimes plus ?

SUE

Non

Toi non plus

On a conclu tout ça avant de partir

C'était bien

Maintenant tu essaies de tout réouvrir

JACK

Santiago est une ville où il n'y a rien

Je ne peux pas t'abandonner à Santiago

Je te ramène à Seattle de Seattle tu iras où tu voudras je te paierai le voyage pour où tu voudras en attendant tu réfléchiras

SUE

Tu ne m'abandonnes pas

C'est moi qui me taille mais pour que tu te mettes ça dans la tête

JACK

Il n'y a rien absolument rien à Santiago tu aurais dû rester à Rio
J'oublie que tu n'as pas aimé Rio

Tu es la première personne que je connaisse qui n'ait pas été happée par le charme de Rio

SUE

Je ne cherche pas les beautés touristiques

JACK

Tu aurais pu rester à Buenos Aires

A Buenos Aires il se passe des choses

SUE

Je veux un endroit quelconque Jack où tu ne seras pas

Pat s'est levée, a déposé un baiser sur la bouche entrouverte de Ed, qui ronfle légèrement. Ed tressaille, Pat part d'un bruyant éclat de rire.

ED

Ah merde Pat

Dormir ça fait partie des droits de l'homme

PAT

Mais oui mais oui

ED

Ne pas être dérangé quand on dort

C'est un droit de l'homme

PAT

Mais oui

La finance et le sommeil

Un oiseau

SUE

Oh Jack

PAT

S'est posé sur tes lèvres l'as-tu senti ?

Pas de réponse

Quand il ne compte pas il dort

Quand il ne dort pas il compte

Peut-être même compte-t-il en dormant

Comptes-tu Ed ?

Je compte pour toi ?

ED
Pas si fort et si Mister Lamb t'entendait tu es folle pense à ton job

PAT
A l'Excelsior

En me réveillant Ed j'avais si faim

Toi tout chaud blotti contre moi dormant

Et ce plateau insoulevable je parie qu'il était en argent massif

Le garçon aussi était massif

Les draps épais et les tapis tu te souviens de l'épaisseur de ce tapis ?

BOB

Après l'Europe ici on se sent bien

Cette tournée en Europe

Jimmy boy mon garçon vous rêvez ?

Les verres eh bien ces verres qui va s'en occuper ?

Il rêve ce garçon

A quoi sert ce copilote ?

Rire général.

Cette tournée en Europe m'a vidé

Il faut tant d'efforts en Europe pour de si maigres résultats

Ici en Amérique latine les choses bougent

En tout cas on peut les faire bouger

Et les cacahuètes Jimmy boy ?

Voilà qui est bien Jimmy

Il faut ça oui il faut ça

Les attitudes effarouchées de ces directeurs de cabinet ces ministres qui vous reçoivent comme si on était venu passer la main sous leurs jupes et ils vous balancent à la figure des articles de lois des décrets

Toute cette tracasserie

Alors qu'ici

Ici n'est-ce pas Dick ?

BESS

Buenos Aires est une ville

NAN

J'ai aimé la promenade le soir dans les favelas de Rio de Janeiro

DICK

Ici oui

BESS

Une ville une vraie ville Rio évidemment est beaucoup plus spectaculaire

JOE

Mais Buenos Aires est une ville

DICK

Dans ces pays c'est sûr que ça bouge

BESS

Buenos Aires est un petit Paris

BOB

Ici il suffit de pousser les obstacles s'écartent

Comme c'était le cas en Europe il y a seulement vingt ans la pitié de ce qui arrive à l'Europe en ce moment

BESS

Un bijou

PAT

Si vous voulez signer Mister Lamb

JIM

Le temps sur la Cordillère Mister Lamb il y a de forts courants

PAT

Je ne suis pas sûre qu'en la relisant vous serez content de la première de ces deux lettres Mister Lamb

NAN

Mister Lamb pour mes doigts de pieds

J'aimerais que vous choisissiez la couleur du vernis

Celui-ci ?

BOB

Délicieuse gamine

NAN

Celui-ci ? Regardez bien il ne s'agit pas de vous tromper

BOB

Non je crois que je préfère celui-là

NAN

C'est celui de Jane Fonda

BESS

Le conditionnement d'air qui ne fonctionnait pas tu feras ce que tu voudras Bob mais plus jamais je ne mettrai les pieds à l'Excelsior

Réveillée à deux heures du matin j'étais en nage plus fermé l'œil le reste de la nuit

Un hôtel de cette catégorie

JIM

La météo signale une zone de violentes perturbations au-dessus des Andes

BESS

Oh Bob cette nuit j'ai eu un pressentiment

L'avion qui explosait et j'ai pris un valium mais la nuit a été affreuse

Je t'avais dit de faire une réclamation ils ne me reverront jamais dans cet hôtel et le robinet d'eau chaude qui fuyait

J'appréhende Bob

BOB

Bêtise Bess notre petit Gulfstream est un pur-sang

Et pourquoi ne serais-je pas content de cette lettre ?

Cette lettre me paraît dire exactement ce qu'il faut dire

PAT

Vous ne lui laissez aucune raison d'espérer

BOB

C'est exactement ce que je veux qu'il lise

Il n'a aucune raison d'espérer

C'est une page tournée

PAT

Alors signez

BOB

Ce général à Brasilia comment s'appelle-t-il ?

DICK

Figuereido

BOB

S'est montré réaliste je n'en attends pas moins demain

DICK

De Pinochet

BOB

A quelle heure demain le rendez-vous ? Jimmy boy ne seriez-vous pas un peu mesquin du côté des glaçons ?

Regarde Nan ma jolie nous abordons la cordillère des Andes

J'ai toujours trouvé que l'abord de la Cordillère a quelque chose de plus grandiose que celui des Alpes ici pas de transition d'un coup on est dans un autre univers

NAN

J'aime bien vous regarder de face Mister Lamb

Mais de dos vous êtes encore plus impressionnant

C'est votre nuque surtout qui m'intimide

Votre voix et votre nuque

BOB

Allez-y franchement Jimmy boy

Je veux porter un toast à cette gracieuse créature dont
les yeux découvrent pour la première fois les terrifiantes
splendeurs de la cordillère des Andes

JIM

Vous m'excuserez Mister Lamb Bill se pose la question de faire demi-tour il désire venir un instant vous
consulter

BESS

Bob je suis sûre et certaine que nous allons nous écraser dans ces montagnes

Tu sais comme je sens quelquefois les choses venir

NAN

Papa il voit bien alors il se fait du souci parce que je ne
m'intéresse pas aux jeunes gens de ma génération

J'aime les hommes forts

Papa m'a raconté comment vous êtes arrivé au sommet en réduisant en bouillie tous vos rivaux

JOE

Nan vas-tu laisser Mister Lamb tranquille ?

Je ne l'aurais jamais embarquée dans ce voyage si j'avais pu imaginer qu'elle vous bassinerait les oreilles avec ses bavardages

NAN

Mon analyste dit que papa fait tout pour empêcher ma spontanéité de jaillir

Je n'aime pas les petits jeunes ils sont hypocrites et ils sont snobs je n'aime pas les résidences luxueuses

Comme la nôtre comme la vôtre à Crockton Hills

J'aime les taudis

Où on vit vraiment

Comme à Rio

Sans tous ces mensonges Mister Lamb ces convenances

JOE

Réellement Nan

Il serait peut-être temps que tu te taises

NAN

Vous voyez

BOB

Il me semble Joe que votre fille a un intense besoin de s'exprimer

Elle a une forte personnalité

Et des petits seins pointus on a envie de les croquer

NAN

Oh Mister Lamb ne vous moquez pas je sais bien qu'ils sont minuscules

Bill est apparu.

BILL

Mister Lamb

BOB

Notre commandant de bord tu vois ce monsieur Nan ?

Ensemble lui et moi nous totalisons plus d'un demi-million de kilomètres six cent vingt-cinq heures de vol

A bord ce n'est pas moi le maître c'est lui

Celui qui décide c'est lui

Billy Gladstone est un héros authentique un héros de la guerre du Viêt-nam il a reçu la Distinguished Service Cross des mains du président Johnson lui-même n'est-ce pas vrai Billy ?

BILL

Mister Lamb la tour de contrôle de Santiago recommande de faire demi-tour

Il y a des vents cycloniques qui soufflent du Pacifique ils balaient les vallées orientées vers l'ouest et se heurtent aux courants d'air chaud venant de l'autre côté la traversée des Andes risque d'être inconfortable

BOB

Un as

Modeste et sûr

Il a reçu une quinzaine de décorations crois-tu qu'il en parlerait Nan ?

Avec lui c'est la sécurité qui prime

Amoureux avec ça

Amoureux de notre petit Gulfstream comme un cocher
de son cheval

Entre deux vols il n'arrête pas de le réviser de l'astiquer
il le bouchonne n'est-ce pas vrai Billy ?

Dites-moi Billy on peut passer ?

Ce rendez-vous Billy est important

Ce général comment s'appelle-t-il ?

DICK

Pinochet

BOB

Nous attend

Il va nous ouvrir les portes du Chili

C'est un marché de plusieurs dizaines de milliers de
Housies qui va se déverrouiller à la faveur de cette petite
conversation demain matin

Pinochet est mûr et avec ces généraux sait-on jamais ?
Un jour ils sont au pouvoir le lendemain ils se balancent au bout d'une corde

On peut passer ?

Le pilote décide

Il faut en tout cas que je sois à mon bureau à Seattle lundi neuf heures

Si nous regagnons Buenos Aires

Il faut oublier le Chili

Bill se retire.

ED
Oublier le Chili ?

DICK
Ed qui se réveille

JOE
Il récupère

DICK
De la fatigue de la nuit dernière

JOE
A l'Excelsior

ED
Où sommes-nous ?

JOE

Nous entrons dans les turbulences

ED

Ce mur noir ?

JOE

La Cordillère

DICK

Au-dessus le cyclone

JOE

Comme à l'Excelsior

DICK

Dans la bourrasque

JOE

Ed a cédé

DICK

Il fallait cette moiteur lascive c'est connu

JOE

Jamais ailleurs qu'au Brésil

DICK

C'est connu les nuits brésiliennes

JOE

Pat a franchi le mur du son

DICK

Elle a saisi l'occasion

PAT

Tiens

JOE

Pauvre Ed

DICK

Anéanti

JOE

Trois ans d'efforts enfin ça y est

ED

Quatre ans qu'elle me courait après

PAT

Quatre ans Ed ? Six ans

Six ans que je te voulais voilà qui est fait mais ce ciel me fait peur

NAN

Oh Mister Lamb jamais je n'oublierai ce voyage

JOE

Boutonne ta blouse Nan et tu pourrais remettre tes chaussures il y a plein de magazines à bord bon Dieu prends un magazine

NAN

Pieds nus je suis bien

Mes ongles sèchent

La prochaine fois vous m'emmenez sans mon père Mister Lamb

BESS

Un trou d'air

NAN

A Santiago aussi il y a des plages ?

SUE

Oh Jack

Je ne veux plus rien entendre de tout cela

NAN

C'est promis ?

JACK

Peut-on décider par un acte de froide volonté

De tout oublier ?

SUE

Ai-je dit que j'oubliais ?

JACK

C'est pareil

SUE

Pas du tout

BOB

Mais Pat

"Et la soirée barbecue aux chandelles dans votre jardin"

"Et la soirée dans votre jardin"

Vous avez tapé ce paragraphe deux fois

Une fois avec le barbecue et une fois sans

Pat qu'est-ce qui vous arrive ?

DICK
La moiteur

JOE
Lascive des nuits

DICK
Brésiliennes

BESS
Un trou d'air encore oh Bob

BOB
Pour l'Argentine

Mais d'abord relisez

BESS
S'il en est encore temps

PAT

Je vais d'abord la retaper

BOB

Non d'abord relisez

Pour l'Argentine je pense à Steve

Il nous faut quelqu'un de solide

Je pensais que Sidney était solide

Non à voix haute Pat

Que pensez-vous de Steve ?

PAT

Je suis confuse Mister Lamb

J'ai un peu mal au cœur

JOE

Blessé

DICK

Percé

JOE

D'une flèche

PAT

C'est que ça secoue beaucoup

Lisant.

"Cher Sidney,
Comme d'habitude il a été très agréable de vous revoir
ainsi que Dorothy, et la soirée barbecue aux chandelles
dans votre jardin a été particulièrement réussie.
Je résume l'impression que je retire de ma visite à Buenos Aires. Votre présentation des plans pour 1982 a été
bâclée. Vos résultats pour 1981 sont sensiblement en des-
sous du budget pour la raison principale que vous vous
êtes permis de relâcher vos efforts après votre excellente performance des trois années écoulées. Ce qui
n'arrange rien, vous avez trafiqué vos chiffres de stocks
afin de dissimuler cette situation. Plus lourd de conséquence, vous avez cru pouvoir vous contenter d'un rendez-vous pris pour moi avec un membre subalterne du
cabinet de la présidence de la République et non avec le
chef de l'Etat alors que vos instructions étaient formelles.
Vous vous rendrez à Seattle le 4 novembre afin que nous
fassions le point sur la situation en Argentine et sur votre
avenir personnel. Encore une fois merci pour votre sym-
pathique barbecue et mes pensées affectueuses à Dorothy.
Bess se joint à moi. Sincèrement."

JACK

Et Pete ?

JOE

Pete ?

JACK

Je verrais tout à fait Pete en Argentine

BOB

J'ai besoin de lui pour le Japon

J'enlève Jeff du Japon je le mets en France ça lui fera un bien immense à ce garçon

Qu'il tâte un peu de l'Europe qu'il voie ce que c'est d'avoir à courir quand on est jusqu'aux genoux dans la gadoue

JOE

J'aurais laissé Jeff encore un an ou deux au Japon

Jeff commence maintenant seulement à saisir le Japon

DICK

Il nous faut pour l'Argentine notez que Steve a la tête sur les épaules mais dans les circonstances particulières et il faut admettre que les circonstances en Argentine

JOE

Sont extrêmement particulières et ce n'est pas que
Steve n'est pas fiable mais prenez Larry Tom est raide
et en même temps chez Tom il y a

Jim est apparu.

JIM

S'il vous plaît votre attention Billy demande que vous
attachiez vos ceintures tout le monde assis redressez
les sièges

BOB

Pour l'atterrissage ?

JIM

Pas encore et on éteint les cigarettes nous entrons dans
une zone d'intenses perturbations

BOB

Mais où sommes-nous ?

JIM

Au-dessus du col du Planchon les deux tiers de la cordillère des Andes sont derrière nous Billy a dû changer
de cap et aussi de niveau d'altitude

BOB

S'il nous faut faire demi-tour

JIM

Le moment le plus délicat est passé nous faisons un crochet par le nord et à plus basse altitude où les coups de vent sont moins violents il faut compter encore un petit quart d'heure d'inconfort

NAN

Une déchirure dans les nuages

Je vois les montagnes

BESS

On pourrait les toucher

NAN

Superbes

Mon appareil photo

BOB

A boire Jimmy boy

JIM

Billy veut que je sois près de lui au plus vite Mister Lamb vous voudrez bien m'excuser

Jim se retire.

DICK

Quelqu'un de raide il nous faut quelqu'un de raide et Steve je me demande si Steve

JOE

Steve au Brésil il n'est pas dit que ce garçon

DICK

Il a obtenu des résultats foudroyants mais

JOE

Le Brésil ça n'est pas l'Argentine et Steve en Argentine je ne dis pas qu'il plierait

JACK

Steve au Brésil Larry craquerait

JOE

Pour que Larry craque d'une certaine façon ça ne me déplairait pas d'avoir en Argentine

JACK

Steve est plus souple

Tom

JOE

Est raide

En Argentine être raide dans les circonstances

BOB

J'ai cru dans ce garçon Sidney

De le voir comme ça s'effondrer

Tom chez lui ce qui me plaît

Mais j'ai peur que comme Sidney il s'effondrerait l'Argentine

DICK

Alors que Tom

NAN

On est de nouveau dans les nuages

SUE

Mais non c'est la neige la neige

Bess ne va pas bien du tout

Regardez

Ce pic cette crête on dirait la mer

Ce pic au-dessus de nous

BOB

Larry ?

Peut-être qu'au fond Larry

Larry a hérité d'une situation pourrie il faut admettre
qu'il a effectué une remontée impressionnante au Chili

DICK

Entre lui et Tom

JOE

Tom est fiable futé non mais c'est un forcené au Salvador
Tom a tenu contre vents et marées

DICK

Je ne sais pas si Tom

JOE

Pour l'Argentine si l'on veut quelqu'un de fiable

JACK

Justement Steve

DICK

Chez Steve

JACK
Il y a

DICK
Je ne suis pas sûr

JOE
A tout prendre plutôt que Tom

JACK
J'ai l'impression

JOE
Quoi ?

JACK
Regardez

Ce champ de neige

DICK
C'est un nuage

JACK
Non la neige

JOE
Tout près

JACK
On dirait

NAN
Ce n'est pas vrai

SUE
On vole un peu bas

DICK
On rase la neige

PAT
Vous êtes sûr ?

BOB
Qu'est-ce qui se passe ?

JOE
L'avion se redresse

DICK
Il était temps

JACK
Mais regardez

NAN
Quoi

SUE
La montagne

En face

JOE
Il se redresse

BESS
Dieu soit avec nous

JACK
Non

JOE
Comment non ?

JACK

Il ne pourra pas

SUE

Oh

On va tout droit contre

Bruit. Noir.
Un écran géant. On voit les mots tomber sur le télé-
scripteur.

21 OCTOBRE. LES AUTORITÉS CHILIENNES ANNON-
CENT QUE LES RECHERCHES POUR RETROUVER
LE BI-RÉACTEUR DE MARQUE GULFSTREAM AP-
PARTENANT A LA SOCIÉTÉ AMÉRICAINE HOUSIES,
DISPARU IL Y A HUIT JOURS AU-DESSUS DE LA COR-
DILLÈRE DES ANDES, N'ONT PAS ABOUTI. IL EST MIS
FIN AUX TENTATIVES DE RETROUVER L'APPAREIL,
APRÈS UNE SEMAINE DE RECHERCHES INTENSIVES
QUI ONT MOBILISÉ TOUS LES MOYENS DE L'AVIA-
TION CIVILE ET MILITAIRE DU PAYS. TOUT PORTE A
CROIRE QUE LES ONZE OCCUPANTS DU JET ONT PÉRI,
SOIT PENDANT L'ACCIDENT SOIT DANS LES JOURS
QUI ONT SUIVI, EN RAISON DE L'ALTITUDE, DU MAN-
QUE DE VIVRES, ET DES INTEMPÉRIES PARTICULIÈRE-
MENT SÉVÈRES EN CETTE PÉRIODE DE L'ANNÉE. OUTRE
LES DEUX MEMBRES DE L'ÉQUIPAGE, MM. WILLIAM
GLADSTONE ET JAMES KING, L'AVION, QUI AVAIT DÉ-
COLLÉ DE BUENOS AIRES LE 13 OCTOBRE A 10 HEURES
A DESTINATION DE SANTIAGO, TRANSPORTAIT LE

PRÉSIDENT DE HOUSIES, M. ROBERT LAMB, ACCOM-
PAGNÉ DE SON ÉPOUSE ELIZABETH ET DE SA SECRÉ-
TAIRE MRS. PATRICIA FIELDING, AINSI QUE LES QUATRE
VICE-PRÉSIDENTS LES PLUS HAUT PLACÉS DANS LA
HIÉRARCHIE DE L'ENTREPRISE : MM. RICHARD SUTTON,
JOHN HIRSCHFELD, EDWARD MACCOY ET JOSEPH
DI SANTO, CE DERNIER ACCOMPAGNÉ DE SA FILLE
NANCY. UNE AUTRE PASSAGÈRE, MISS SUSAN BEAVER,
ÉTAIT A BORD. LE JET PRIVÉ AVAIT QUITTÉ SEATTLE,
SIÈGE DE LA SOCIÉTÉ HOUSIES, LE 4 OCTOBRE POUR UN
VOYAGE D'AFFAIRES EN AMÉRIQUE LATINE. L'ÉTAT-
MAJOR DE CETTE IMPORTANTE ENTREPRISE MUL-
TINATIONALE, SPÉCIALISÉE DANS LES LOGEMENTS
PRÉFABRIQUÉS BON MARCHÉ, AVAIT VISITÉ SUCCES-
SIVEMENT LE BRÉSIL ET L'ARGENTINE ET DEVAIT
REJOINDRE LES ÉTATS-UNIS APRÈS UN BREF SÉJOUR
AU CHILI. TOUS LES PASSAGERS DE L'APPAREIL ÉTAIENT
DE NATIONALITÉ AMÉRICAINE. EN RÉPONSE A UNE
DÉMARCHE DU GOUVERNEMENT DES ÉTATS-UNIS
PROTESTANT CONTRE LA SUSPENSION DES RECHER-
CHES, LE PORTE-PAROLE DU CHEF DU GOUVERNEMENT
CHILIEN A FAIT SAVOIR QUE SON PAYS A ENGAGÉ DES
MOYENS PLUS IMPORTANTS, A RISQUÉ PLUS DE VIES,
ET A PERSÉVÉRÉ PLUS LONGTEMPS QUE NE L'EXI-
GENT LES RÈGLES ET LES USAGES INTERNATIONAUX
EN MATIÈRE D'OPÉRATIONS DE SAUVETAGE DANS LE
CAS D'UN ACCIDENT D'AVIATION.

*L'écran disparaît. Lumière sur la pente neigeuse dans
laquelle s'est incrustée la partie médiane du fuselage
de l'appareil. On découvre cinq survivants installés dans
la cabine éventrée des deux bouts, et dont se sont sépa-
rés tant le nez que la queue de l'avion, ainsi que l'une
des ailes. Un mur de valises fait rempart contre le vent.*

Blessés, Pat et Dick, pelotonnés l'un contre l'autre, suçant à tour de rôle une boule de neige ; Bess s'employant à introduire de la neige dans une bouteille de Black and White et à la secouer ; Sue, prostrée, se battant le flanc d'un geste cadencé ; Bob occupé à une tâche d'inventaire. Ils sont à l'écoute d'un poste de radio portatif qui transmet les dernières phrases du communiqué de l'Associated Press. Ils sont enveloppés dans de multiples couches de vêtements et d'étoffes, couvertures, etc. Au loin dans l'immensité neigeuse on apercevra bientôt trois formes humaines se déplaçant, se rapprochant lentement : Jack, Ed et Nan, volumineux et difformes dans leur accoutrement hétéroclite, avançant les jambes arquées, à leurs pieds des "raquettes" constituées par des coussins de sièges d'avion.

BOB

Cent vingt-cinq olives noires trois tablettes de chocolat un paquet de chips vingt-huit morceaux de sucre

Vingt-huit plus douze égalent quarante morceaux de sucre

Dick se lève, et l'on découvre qu'il a une tige métallique plantée dans le ventre.

DICK

Avant que la plaie soit refermée complètement

Avant qu'il soit trop tard

S'il vous plaît Bess

BOB

Quatre boîtes de crackers dans chaque boîte soixante-quatre crackers onze cartouches de cigarettes six boîtes de thon à l'huile

DICK

Bess pour l'amour du ciel

Vous avez été infirmière Bess

BESS

Il y a trente ans

Mieux vaut pas y toucher

BOB

Un tube de crème d'anchois seize tranches de hollande deux bouteilles de ketchup trois bouteilles de jus de pamplemousse un peu moins de la moitié d'un salami

BESS

Jusqu'au retour à Seattle là un chirurgien d'un simple coup de bistouri

Si je tire on risque l'hémorragie

DICK

Parce que l'infection généralisée vous croyez que c'est mieux ?

Ça rouille dedans et toute cette rouille qui se mélange au sang

Bess cette rouille je sens que cette rouille

Bess je me tiens debout de plus en plus difficilement et quand je me retourne en dormant

BESS

La rouille il faut de l'air pour qu'elle se forme

Ne faites pas l'enfant

BOB

Un quart de livre d'amandes grillées une livre et demie de cacahuètes huit tranches de pain de seigle

BESS

Et du beurre ?

BOB

Plus de beurre

DICK

Mais Bob

Vous êtes sûr d'obtenir la protection douanière ?

BOB

Il voit grand

Il est de ces hommes d'Etat qui voient grand

Plus un seul taudis il veut

Un Housie à la place de chaque taudis

Nous implantons une couronne de Housies autour de chaque agglomération de plus de dix mille habitants

PAT

Mes jambes c'est ce que j'avais de mieux

A Scattlc j'ai tant d'amis qui m'aiment tant

Tous disent que j'avais de jolies jambes bien galbées

BOB

Moyennant quoi Pinochet nous consent des avantages fiscaux très importants vous avez vu dans le rapport de Larry franchise d'impôt sur le revenu pendant cinq ans exclusion de tous les concurrents potentiels

DICK

Vous êtes sûr du monopole ?

BOB

C'est la condition essentielle Larry est formel

Dans trois mois démarrage de la construction de l'usine dans dix-huit mois mise en route de la production dans cinq ans plus un taudis au Chili

Cinq bouteilles de jus de tomate un fond de bouteille de vodka un paquet de chips

BESS

Tu l'as déjà compté

BOB

C'en est un autre ça nous fait deux paquets de chips

BESS

Mais ce deuxième paquet est déjà entamé

BOB

Le tiers d'une bouteille de gin

PAT

Dick frottez-moi les pieds

BESS

Et c'est tout ?

PAT

Je vous frotterai les vôtres

Si j'ai la force c'est promis Dick

Frottez

Vous frottez ?

Je ne sens rien

BESS

J'avais dit et répété

Mais personne ne m'a écoutée

DICK

Il a meilleure mine Pat il est moins violet

La jolie courbe qu'il dessine

PAT

Vous êtes drôle Dick j'ai froid heureusement j'ai votre voix elle me réchauffe

Si vous m'évitez d'être amputée je vous appellerai mon sauveur

Qu'on me coupe plutôt la tête ma tête je ne la trouve pas si bien que ça

Les jambes c'est ce que j'ai de mieux

De loin

DICK

Et vos pieds vos petits petons ils sont parfaits

PAT

Quand je dis les jambes c'est l'ensemble dont je parle depuis les cuisses jusqu'aux orteils

Mes amis me disent que mes jambes sont sans défaut

Il faut bien les croire tous disent ça

De loin Pat les jambes c'est ce qui est le mieux réussi chez toi

D'ailleurs Dick vous savez il n'y a pas de mystère

David mon ex-mari c'est par mes jambes que ça a commencé

A la piscine de l'université il les a regardées

Longtemps longtemps

De loin

Et puis il s'est approché il s'est allongé à côté de moi je ne connaissais pas ce garçon il m'a dévisagée

Mais j'ai senti que ce n'est pas mon visage qui l'inté-
ressait

Il m'a demandé à quoi je m'intéressais moi il m'a dit je
m'intéresse à la géologie moi je lui ai dit j'hésite entre
l'histoire de l'art et l'histoire des Etats-Unis

Vous frottez Dick ?

DICK
Je frotte

PAT
Ne perdez pas patience si vous continuez assez longtemps le sang va se remettre à circuler le tout est de
réamorcer la pompe je sens que vous allez me sauver
Dick

Après trois ans de mariage quand David m'a quittée

Ce sont mes jambes qu'il a regrettées

Mes jambes il me l'a dit

Mes jambes lui ont manqué

DICK
Oui

PAT

Vous comprenez Dick ? Tout le reste

Le reste n'a pas d'importance

SUE

Donnez-moi une gorgée Missis Lamb

BESS

Ce n'est pas l'heure de la distribution

SUE

Une gorgée d'eau

J'ai si soif

BESS

Tout le monde pareil cette neige ne désaltère pas

Ça demande un temps infini pour l'introduire dans le goulot et je suis la seule à travailler vous pourriez vous y mettre vous aussi il n'y a que moi qui fasse quelque chose

C'est toujours comme ça

SUE

J'ai fait fondre la neige pendant des heures ce matin

Là je suis fatiguée

Dans tout le corps j'ai mal

Comme si tout se déchirait à l'intérieur

Comme si un crochet se déplaçait à l'intérieur et arrachait tout

J'ai soif

BESS
Tout le monde a envie de boire

Vous attendrez la distribution

SUE
Une gorgée maintenant

BESS
Qui vous a obligée de participer à ce voyage ?

A quel titre participez-vous à ce voyage ?

Je n'ai jamais compris ce que vous faisiez dans cet avion

S'il y a une chose dont Mister Lamb a horreur c'est d'être mis devant le fait accompli

Il n'a jamais autorisé Jack que je sache à emmener une petite amie dans ce voyage

Ce n'est pas un voyage de plaisir que je sache c'est un voyage de travail chacun est ici pour quelque chose

SUE

Pour moi c'est un voyage d'affaires Missis Lamb mon affaire c'est de me séparer de Jack

C'est le moyen de partir très loin

Gratis et je remercie la société Housies

Tranquillisez-vous je ne ferai pas le retour avec vous je reste à Santiago

Bien que Santiago paraît-il ne soit pas une ville où il se passe beaucoup de choses

BOB

Santiago est une ville pouilleuse il n'y a rien à y voir à Rio on peut dire que les taudis ont du caractère mais à Santiago

Pinochet veut raser les trois quarts de la banlieue de Santiago le projet est inscrit dans son plan quinquennal Pinochet voit grand très grand

Pour Housies incontestablement c'est le plus gros contrat que nous ayons jamais conclu en Amérique latine

56

Une immense couronne

DICK

Que nous allons conclure si

BOB

Comme si c'était fait

DICK

Si nous arrivons à Santiago

Mais ils ont arrêté les recherches Bob

Pinochet nous abandonne

BOB

Ça m'a beaucoup irrité d'entendre ce communiqué

Mais Reagan ne laissera pas faire

Evidemment Pinochet use de tous les moyens pour augmenter la pression sur les Etats-Unis dans la négociation qui est en cours sur les livraisons d'armes

Il se sert de nous c'est de bonne guerre

Mais Pinochet ne connaît pas encore Reagan

Et puis nous n'allons pas attendre ici que Pinochet vienne nous chercher

S'il tarde à venir c'est nous qui irons le trouver

On va en savoir plus avec le retour du corps expéditionnaire

Arrivée de Jack et de Nan, quelques moments plus tard
de Ed, tous les trois dans un état de grand épuisement.

JACK

Tu leur dis Ed ?

ED

Dis-leur Jack

JACK

Ou bien Nan

NAN

Qu'est-ce que je leur dis ?

JACK

Dis-leur d'abord au sujet de ton père

NAN

On a retrouvé papa

Tout durci

JACK

Dis-leur au sujet de la vallée

NAN

Il n'y a pas de vallée

PAT

Ed tu as pensé à moi ?

ED

Comment va ma petite Pat ?

PAT

J'avais si peur pour toi

Oh je suis si heureuse

SUE

Ça va Jack ?

J'ai cru que tu me reverrais morte

Que je ne te reverrais plus

JACK

Nan dis-leur

ED

Au sujet de la crevasse et de Jack

NAN

Jack tout d'un coup on n'a plus vu Jack

JACK

Le grand trou

NAN

Plus personne il s'est volatilisé

ED

On ne saura jamais ce qui a fait que Nan a tout de suite su le point précis où il fallait creuser

NAN

En quelques secondes on a pu dégager sa tête

ED

Pour l'extraire tout entier il a fallu le reste de la journée

JACK

On sait en tout cas maintenant par où ce n'est pas la peine d'essayer de passer

Derrière cette muraille il n'y a pas de vallée mais une autre muraille encore plus haute

BOB

Sur la carte mais regardez

Elle existe pourtant bien cette vallée

JACK

Elle existe oui quelque part

Là où nous avons dû nous tromper c'est dans notre position sur cette carte

Nous sommes quelque part mais où ?

ED

Arrêté dans sa chute par une saillie rocheuse

Disloqué comme suspendu

Durci le corps de Joe

JACK

De nous tous c'est sans doute lui qui a eu le plus de chance

Pour lui ça n'a duré que quelques minutes

ED

Pendant lesquelles Joe a quand même dû se dire beaucoup de choses

Entre le moment où la queue s'est séparée du fuselage
et où il a été éjecté

Et au bout de sa dégringolade le moment où il a buté
sur cette arête

Il a pu penser

BOB

Quelque chose ne colle pas

Votre histoire ne tient pas debout puisque nous sommes précisément ici

Ces deux montagnes sont celle-ci et celle-ci

Où voulez-vous que nous soyons sinon précisément ici ?
Il n'y a pas de bon Dieu tout concorde

BESS

Oh Bob

JACK

Sauf qu'il n'y a pas de vallée

DICK

Pinochet a arrêté les recherches ils l'ont annoncé

BESS

Mais Dieu ne nous abandonnera pas

Il serait bon que nous fassions une prière tous ensemble

Que notre prière à tous s'élève vers Lui d'un seul mou-
vement

Que je ne sois pas toujours la seule à prier

NAN

Missis Lamb quelque chose à manger

BESS

Demande à Mister Lamb

BOB

Ça ne m'arrange pas du tout cette histoire de Joe

Je comptais sur Joe

Dans mon plan à cinq ans il était promis à de hautes
destinées et te voilà orpheline

NAN

Mister Lamb j'ai faim

BESS

Mister Lamb a décidé de prendre en main personnellement cette question du rationnement

NAN

Vous prépariez papa pour votre succession n'est-il pas
vrai Mister Lamb ?

A Jenny et à moi

DICK

Hein ?

Qui a dit ça ?

NAN

Il nous disait

BOB

C'est le devoir de l'homme au sommet de former les
hommes qui pourront un jour prendre sa place et me-
ner l'entreprise encore plus haut plus loin

Ton père était un des deux ou trois hommes qui pou-
vaient espérer accéder un jour à la charge suprême tout
cela maintenant est à revoir

Il n'y a pas de devoir plus impérieux pour un chef que de préparer son propre départ personne n'est éternel

Un carré de chocolat à titre exceptionnel aux membres du corps expéditionnaire

J'ai fait l'inventaire nous avons cent vingt-cinq olives noires trois tablettes et demie de chocolat deux paquets de chips quarante morceaux de sucre quatre boîtes de crackers six boîtes de thon un tube de crème d'anchois cinq bouteilles de jus de tomate

ED

De quoi durer trois quatre jours

JACK

Vous avez été voir

Là-bas

Du côté du nez de l'avion ?

Comment va Jimmy ?

DICK

Je viens de lui apporter à boire c'est incompréhensible

ED

Quatre jours au grand maximum Bob

DICK

Qu'il soit encore en vie

Il n'a pas eu la chance de Billy

SUE

Huit jours que Jimmy n'a pas bougé d'un millimètre

Il ne sait plus du tout où il est

Il ne sait pas que le nez de l'avion s'est séparé de la cabine

Il parle de sa maison de Hamilton Bay il croit qu'il est dans sa maison il parle à son chien Waggy

Il ne se rend pas compte que les instruments du tableau de bord se sont encastrés dans son bassin et que ses entrailles sont à l'air

Quand même par moments il demande son revolver j'ai cherché je n'ai pas trouvé de revolver

Je t'aime Jack

Dans ces circonstances on peut se dire cela

Je peux dire aussi que je ne sens plus la faim

Je suis prête à ce que tout soit fini

J'aimerais seulement pouvoir achever Jimmy

PAT

Il faudrait pouvoir

Ce n'est pas facile à dire

Billy est mort il est maintenant inutile et Jimmy va mourir et Joe là-bas dans la neige

Et si nous ne mangeons pas nous allons nous-mêmes tous mourir

Je ne suis pas sûre que c'est bien

BESS

Quoi ?

PAT

De nous laisser tous mourir

BOB

Qui parle de mourir ?

Il y a maintenant un corps expéditionnaire constitué sa mission est de trouver l'accès hors de la Cordillère

Que dès sa première sortie il n'ait pas abouti c'était prévisible

La voie du nord-ouest est bouchée ? Demain il repartira gravira le col direction sud-ouest

Il ne peut pas ne pas y avoir une voie de sortie

ED

Le corps expéditionnaire a besoin de deux ou trois jours de repos Bob

Et quand il repartira Bob il lui faudra emporter des provisions

PAT

Les morts ça doit pouvoir se manger

BESS

Ce sont ses jambes qui lui font ça

Frottez-lui les jambes Ed la pauvre petite déraille Dieu lui pardonne

Dick lui a frotté les jambes toute la journée

DICK

La voie de sortie

Dès le premier jour j'ai dit et redit

Jack n'a rien voulu savoir il nous a fait perdre un temps précieux

C'est par ici

La montagne devant nous ne peut être que celle-ci et si c'est celle-ci alors Bob a raison le passage est par là

Si j'avais la possibilité de marcher je partirais tout de suite vous le prouver

JACK

Le passage est par là vraiment ?

DICK

Evidemment

JACK

L'oracle a parlé

DICK

Attendre deux ou trois jours de plus ?

Le départ doit se faire demain matin Bob en espérant que ça ne sera pas trop tard

JACK

Tu sais Bob ce que j'ai toujours pensé de ton petit protégé Dick Sutton

Aujourd'hui Dick Sutton l'entendra lui-même de ma bouche

Je peux supporter la bêtise quand elle ne se combine pas avec l'arrogance ou l'arrogance toute seule sans la bêtise

Joe est mort bonne affaire n'est-ce pas Dick Sutton la route est libre ? Le sommet à portée de la main ?

DICK

C'est trop

Bob vous êtes le seul au cinquante-neuvième étage à ne pas l'entendre ça bruisse dans les couloirs depuis la petite dactylo jusqu'aux directeurs de divisions tout le monde sait parfaitement que Jack est l'auteur ou l'inspirateur des erreurs majeures qui ont ébranlé la confiance de Wall Street en notre action

Précipité la chute de notre action

JACK

L'erreur a été de l'embaucher

Essentiellement je suppose parce qu'il était le fils du président de Harvard

NAN

Oh Jack ne dites pas du mal de Harvard papa et moi comme tous les dimanches

Nous faisions de la voile sur l'océan c'était le jour de mes quinze ans il m'a dit Nan

Harvard est l'université la plus cotée des Etats-Unis moi Joe di Santo qui suis sorti de Harvard je veux que ma fille entre à Harvard si tu réussis à te faire admettre à Harvard Nan je demanderai à Mister Lamb

Bess a entraîné Dick à l'écart, défait ses vêtements ; elle pose une main sur l'extrémité protubérante de la tige métallique plantée dans son ventre, le dévisage un instant, tire. Dick se plie en deux. La tige reste entre les mains de Bess, finit par lui glisser des doigts. Elle s'affaire, tamponne la plaie, enroule une bande autour de la taille de Dick qui se redresse, bombe le torse, sourit.

Mais il n'a pas eu besoin de vous demander Mister Lamb vous avez pris les devants vous lui avez demandé un jour Nan qu'est-ce qu'elle aimerait comme cadeau si elle est admise à Harvard ? Nan depuis qu'elle est petite son rêve c'est de faire un tour dans l'avion de la Compagnie qu'elle s'achète un joli bikini vous avez dit je la regarderai nager à Copacabana

Mister Lamb je suis sûre que papa serait d'accord s'il savait qu'il ne reste que quelques olives et quelques crackers

Il serait d'accord avec ce qu'a dit Pat

DEUX

Trois jours après. Grand soleil. Des sièges ont été disposés sur la neige, on y est installé bras nus comme dans des chaises longues sur une terrasse. Les visages se sont émaciés, parcheminés. Les mouvements sont devenus lents, pesants. Par moments, même parler devient un effort. Dick et Nan font fondre de la neige dans des bouteilles. Ed et Jack cousent bout à bout des enveloppes de coussins de sièges et les assemblent pour confectionner des sacs à dos. Sue découpe des cercles de plastique teinté dans les pare-soleil du poste de pilotage, avec lesquels elle fabrique des lunettes. Bob compte et recompte, trie et retrie ce qui reste de nourriture. Bess somnole. Seule Pat est restée dans la cabine, dont on ne voit pas l'intérieur.

NAN

Deux fois ma sœur chérie Jenny a déjà été en Europe deux fois oh je suis jalouse et chaque fois elle rapporte des kilos de cartes postales

Venise Amsterdam

Ce sont ses villes préférées

Mister Lamb j'aimerais tant connaître l'Europe

La prochaine fois vous m'emmenez ?

Quelles sont vos villes préférées ?

Sue s'est levée, elle se dirige vers la cabine et disparaît à l'intérieur.

BOB

Les continents vieillissent comme les gens l'Europe à présent est un continent vieilli rabougri

J'ai aimé l'Europe

C'est moi qui ai forcé la porte de l'Europe quand chez Housies personne n'y croyait

Dans les années soixante

Le raz de marée historique

Hein Jack ?

Entre soixante-deux et soixante-huit et grâce à l'Europe le chiffre de Housies a été multiplié par six

JACK

Et je n'y croyais pas plus que les autres

A la haute direction de l'époque ils s'attendaient à ce que Bob pique du nez

Ça a été le début de son ascension vers le sommet

Ils ont dû lui faire une petite place au sommet à partir de quoi il les a tous éliminés

Tous sauf moi

Rires.

BOB

Parce que bonhomme très vite tu t'es rangé de mon côté

JACK

Et parce que j'ai une bonne tête n'est-ce pas ?

Rires.

BOB

Disons qu'il y avait quelques bonnes idées dans cette mauvaise tête

Tu as accouché d'une ou deux idées qui ont catapulté Housies plus loin en avant

Pas de sentiments dans les affaires Nan ou plutôt d'abord les affaires ensuite les sentiments

JACK

Celui qui dit ça Nan n'a jamais rien fait que par sentiment Bob est l'homme le plus sentimental que la terre
ait porté

L'Europe ça a d'abord été un sentiment

Et les gens dont il s'entoure c'est d'abord et avant tout
une affaire de sentiment

BOB

Jack a raison il a raison

C'est le sentiment qui fait tourner les affaires

Ceux qui n'ont pas de sentiment sont bons à faire tourner les machines

Sue réapparaît.

J'éprouve du sentiment aujourd'hui pour ce continent

C'est une chose mystérieuse Nan quelque chose en
moi s'excite dès que je suis en Amérique latine

SUE

Ce serait bien de porter Pat jusqu'ici qu'elle profite un
moment du soleil

*Un silence. Ed puis Jack se lèvent, se dirigent vers la
cabine.*

C'était votre tour Missis Lamb de faire le ménage dans la cabine n'est-ce pas ?

BESS

Je l'ai fait

SUE

Non

L'odeur est intenable il y a une mare d'urine au moins une personne a uriné sur place pendant la nuit

BOB

Voilà

J'ai fait deux tas

Les deux tas sont égaux

Mais je dois faire une déclaration qui intéresse tout le monde

Il faut que j'attende Ed et Jack eux aussi sont concernés

Ed et Jack réapparaissent, portant Pat qu'ils allongent en disposant trois sièges côte à côte.

Deux carrés de chocolat et quatre crackers ont disparu

J'ai compté et recompté il manque quatre crackers et deux carrés de chocolat

Puisqu'il en va ainsi j'ai pris la décision d'instituer un système de surveillance

Chacun observera les autres en permanence et me rapportera tout fait de chapardage

J'ai noté des allées et venues qui me paraissent suspectes

Ces deux tas sont égaux c'est tout ce qui nous reste

Les premiers jours on a bu et mangé sans compter

C'est que les secours d'un moment à l'autre devaient arriver

Mais la vallée qui doit descendre vers la plaine côtière prend naissance derrière la crête qui se dresse là au sud-ouest

Le corps expéditionnaire partira demain vous trois emporterez avec vous l'un des deux tas

L'autre tas est pour nous cinq qui restons ici

SUE

Avec ça on n'ira pas loin Mister Lamb

ED *(à Jack)*

Quatre ou cinq olives par personne et quelques crackers mais Bob est dans son rêve

JACK *(à Ed)*

Sa force

C'est qu'il ne voit pas ce qu'il ne veut pas voir

Et les obstacles s'écartent

Il ne veut pas voir qu'il n'y a plus de corps expéditionnaire

Trois jours que nous ne nous alimentons pratiquement
plus

Qui de nous aurait la force de marcher quelques cen-
taines de mètres ?

Nan lève-toi

Nan essaie de se lever.

Elle ne peut pas

Porter Pat a été toute une histoire je suis exténué

SUE

On n'ira pas loin Mister Lamb avec ce qu'il y a dans
vos deux tas

BESS

Bob je suis étonnée je ne suis pas habituée à aller
contre ta volonté mais Bob cette répartition est inac-
ceptable je proteste

Il faut huit tas égaux un pour chacun

Les membres du corps expéditionnaire sont les plus valides n'ont-ils pas été sélectionnés parce qu'ils ont le moins souffert ?

Ceux qui restent ici comme Dick est-ce qu'ils n'ont pas plus besoin que les autres de reprendre des forces ?

DICK

Ma blessure est en train de se cicatriser moi je suis pour l'égalité et Pat qui doit remonter la pente vous allez la priver ?

SUE

Mister Lamb ça n'est suffisant ni pour les uns ni pour les autres

Il faut ajouter quelques tranches de viande

Sue ouvre un sac et dépose des tranches de viande sur chacun des deux tas

Si nous voulons survivre

Je les ai découpées cette nuit

Je ne suis pas bouchère ça n'a pas été tout seul

Le corps expéditionnaire ne partira pas avant quelques jours le temps que le tissu des muscles se reconstitue

Vous ne croyez pas ? Jack ?

JACK

Je suis

J'avoue que je suis

Comment dire ? Je suis surpris

Je ne peux pas dire que je suis en désaccord

ED

Sur le principe moi non plus

Le faire c'est autre chose

SUE

Mais quoi faire d'autre ?

ED

Manger ça je veux dire

SUE

Pour moi aussi

Les premières bouchées ça va être très compliqué

Après je ne sais pas

NAN

Mister Lamb je ne pourrai jamais

Et en même temps

Vous vous souvenez quand il y a quelques jours Pat en a parlé la première fois

SUE

Cette viande est séchée

Ce matin j'ai étalé les tranches au soleil sur la carlingue

NAN

Quand Pat a dit ça

J'ai entendu la voix de papa qui disait

Faites-le

DICK

Je voudrais savoir Miss Beaver comment vous vous êtes crue autorisée

BESS

Personne ne l'a autorisée

Bob tu ne dis rien ?

Jamais cette fille n'aurait dû être ici

Cette fille n'avait pas sa place dans notre avion

Elle empoisonne le climat

Ce qu'elle a fait maintenant

Bob je vais me sentir mal dis quelque chose

Dieu est là-haut qui nous regarde Il attend que tu prennes
position

Toi qui détestes être mis devant le fait accompli

BOB
Oui

BESS
Il y a des choses qui sont sacrées

PAT
La vie

ED
Pat s'est réveillée

PAT
Je ne dormais pas

Pendant que tu me parlais les cloches ont sonné

J'entendais les cloches face à ma fenêtre à Seattle l'église Saint-Vincent une église de briques rouges elle est couverte de lierre

Entourée d'un jardin il y pousse du chèvrefeuille

L'été jusqu'à chez moi monte l'odeur

Jack s'est écarté ; de même, dans une autre direction, Bess et Dick. Nan disparaît dans la cabine de l'avion.

Si je pouvais dormir

SUE

Vous vous êtes assoupie Pat

ED

Tu as un visage plus reposé

PAT

Il faut que je sois en forme pour lundi soir

Lundi soir nous tenons notre assemblée générale c'est moi qui dois présenter le projet de révision des statuts

Il y aura de fortes oppositions

Je ne suis que la vice-présidente mais la présidente ne comprend rien aux histoires juridiques elle m'a confié le soin de rédiger les amendements

JACK *(chantonnant)*

Un râtelier

Du foin

Le cheval mange

C'est l'automne

Jack continuera à chantonner cette rengaine pendant qu'il extrait, de l'intérieur d'un siège brisé, une feuille d'aluminium, incurve ses bords, lui donne la forme d'un bol évasé, y façonne un déversoir dans le fond, la recouvre de neige, l'expose au soleil, enfonce dans la neige une bouteille dans laquelle il introduit le déversoir.

BESS

J'ai peur Dick

La situation lui échappe

C'est vous qui pouvez

Plusieurs fois dans sa carrière il a eu un passage à vide chaque fois il a rebondi et il est reparti plus fort qu'avant

Oh j'ai confiance

Souvent il m'a dit Joe et Dick sont mes deux étoiles montantes

Maintenant il n'y a plus que vous

Prenez les rênes Dick

J'ai peur

C'est très dangereux avec cet homme Jack qui n'attend que ça

Jack a toujours tissé sa toile autour de mon mari

Une fille qu'il a ramassée un soir à Seattle dans un drugstore

Et c'est un sceptique

J'avais décidé de ne pas

Et puis

Ces voyages d'affaires me fatiguent beaucoup et on n'est jamais sûr des hôtels mais je raffole de ces bazars

Dans tous ces pays il y a ces bazars où l'on se ruine à acheter ces objets d'artisanat soi-disant bon marché qui sont étalés par terre et j'adore marchander

PAT

J'ai besoin d'être vraiment en forme ça va être une réunion où on va se heurter mes adversaires disent

Nous n'avons rien contre les filles-mères mais la mentalité n'est pas la même les filles-mères n'ont qu'à fonder leur propre organisation

SUE

Mais quelle est votre organisation ?

PAT

Je suis la vice-présidente du Club des jeunes femmes divorcées de Seattle la limite d'âge actuellement est de trente-cinq ans

Après trente-cinq ans celles qui veulent peuvent demander leur transfert dans le Club des femmes divorcées de Seattle mais l'esprit est loin d'être le même

Un de mes amendements c'est de reporter la limite d'âge de trente-cinq à quarante ans

Entre trente-cinq et quarante ans par les temps qui courent une femme est encore jeune

Nous ne sommes pas contre les hommes

Mais il faut que les femmes se défendent

SUE

Contre quoi ?

PAT

Vous ne croiriez pas

Il y en a des jeunes femmes divorcées qui ne veulent à aucun prix qu'on les mélange avec les filles-mères

Elles disent que ce n'est pas la même mentalité

Au Comité exécutif nous pensons que nous aurons la majorité mais ce qu'il faut éviter c'est une scission

Parce que mes adversaires vont m'attaquer avant tout sur cet amendement qui porte sur le changement de nom le Club des jeunes femmes divorcées de Seattle devient le Club des jeunes femmes séparées de Seattle

SUE

Vous avez une existence débordante Pat

Le contraire de moi

PAT

Je suis trésorière aussi de l'Association des amis du musée des Beaux-Arts de Seattle

Les tableaux

Je passerais ma vie à regarder les tableaux

Et vous Sue ?

SUE

J'essaie d'être sans attache

Pouvoir m'en aller sans que ça fasse des drames

Je m'amuse

PAT

Votre fils

SUE

N'a pas besoin de moi

PAT

Jack

SUE

C'était en passant

ED

Je ne vous crois pas

Je voudrais Sue que vous fassiez partie de la prochaine
expédition la bonne

Il est bon d'avoir le pas léger quand la neige s'amollit
au soleil

Jack s'approche, apportant son dispositif.

SUE

Le moment est venu de manger

Vous ne croyez pas ?

Bob a rejoint Bess et Dick. Nan est réapparue.

JACK

Je vous apporte le progrès un engin prométhéen

Il fabrique non pas le feu mais l'eau

BOB

C'est une bien belle journée Bess

Et le paysage est grandiose

Rappelle-moi à notre retour de donner un coup de fil à Donald Sutton à propos de Nan qu'il garde un œil sur la gamine

Après tout il est président de Harvard je lui demanderai de faciliter les choses cette génération n'aime pas montrer ses sentiments alors quelque chose finit par craquer

Joe était fou de sa fille et regarde Nan impossible de savoir ce qu'elle ressent

Pour l'Argentine tout bien pesé

JACK

Fonctionnement entièrement automatique

SUE

Jack tu viens ? On va manger

JACK

Utilisation rationnelle de l'énergie solaire

Cent pour cent d'économie de main-d'œuvre

SUE

Et toi Nan ?

C'est mieux de s'y mettre ensemble plutôt que chacun
dans son coin

BOB

Pour l'Argentine

La gamine est adorable je crois qu'elle va enfin pleurer

Approche-toi Nan pose la tête sur les genoux de Mister
Lamb

Nan ne bouge pas.

SUE

Ed prenez

NAN

Je suis allée faire le ménage dans la cabine c'est vrai
que ça chlinguait l'odeur de pisse était horrible et je
suis allée donner à boire à Jimmy

Jimmy était mort

Il avait la gorge tranchée

BOB

Pour l'Argentine

Je laisse Jeff encore un an ou deux au Japon

JACK

C'est toi Sue ?

SUE

Il fallait le délivrer vous venez ?

BOB

La réalité japonaise c'est un fait qu'il faut un temps
pour la saisir et Jeff alors voilà je ne touche pas à la
France et je mets Pete en Argentine

BESS *(hurlant)*

Elle a tué Jimmy

DICK

C'est la meilleure solution

Pete est l'homme qu'il nous faut en Argentine

Ça nous permet aussi de laisser Larry à Santiago

BOB

Et Steve au Brésil

Le moins de remous possible Dick ne pas faire de vagues

DICK

Mais qui remplacera Joe ?

SUE

Vous venez Mister Lamb ? Dick et vous si vous voulez Missis Lamb

BOB

Mais ce qui est arrivé avec Sidney

Ce n'est pas seulement la faute de Sidney

SUE

Et toi Nan ?

Viens petite viens Nan viens Nancy

PAT

Ma fille aussi s'appelle Nancy et mon fils qui a un an
de plus s'appelle Walt je n'ai pas de soucis avec eux ils
sont dans une excellente pension et mon voisin de
palier Sandy c'est un agent d'assurances je lui ai laissé
les clés il s'occupe de mes plantes et de mon chien j'ai
pris une assurance c'est une bonne police je n'ai pas de
soucis avec cette police elle couvre tout ce qu'il faut
mon voisin dit que la Prudential est peut-être la compagnie la plus solide des Etats-Unis ils construisent les
plus hauts immeubles partout vie invalidité permanente
accidents corporels mais il faudra que je lise les clauses
ils les impriment si petit j'ai une amie à Boston elle me
dit que le plus haut gratte-ciel de Boston est à eux et à
Chicago la tour qu'ils ont fait construire pendant tout
un temps ça a été le plus haut bâtiment des Etats-Unis
mais depuis à New York

*Sue, Ed, Jack commencent à manger. Bob, Bess, Dick
les observent.*

BOB

Des mauvaises surprises de ce genre un Sidney qui
nous claque entre les doigts

Sidney a flanché bon

Et je ne dis pas que Sidney a des excuses je me moque des excuses

PAT

Sue il paraît qu'à New York

Il y a maintenant à New York deux buildings encore plus hauts

BOB

Un Sidney aujourd'hui en Argentine et demain c'en sera un autre ailleurs

Enfoncez-vous bien ça dans la tête Dick

Les mauvaises surprises c'est fini Sidney

DICK

Sa réussite

BOB

Il n'a pas été suffisamment encadré

Sidney était sous votre autorité

DICK

Oui Bob

BOB

Nos managers ne sont pas contrôlés

Mais ça va changer

Une défaillance il y aura toujours des défaillances

Mais quand un homme commence à battre de l'aile

Prévoir c'est prévenir

Le management c'est d'abord la prévention

DICK

Je sais Bob

BOB

Vous savez ?

Qu'avez-vous fait ?

Un garçon comme Sidney bourré de qualités

S'il ne se sent pas contrôlé

C'est exactement ce qui est arrivé

Ce que le professeur Petersen dans le dernier numéro de la *Harvard Business Review* appelle le syndrome du pêcheur à la ligne tout manager à quelque échelon que ce soit est un pêcheur à la ligne en puissance et c'est la responsabilité première du supérieur de tout manager à quelque niveau que ce soit de veiller à l'apparition des premiers symptômes

DICK

Combien de fois Bob vous ai-je entendu dire

Un manager il faut lui faire confiance dès lors que nous l'avons choisi un manager ne s'épanouit

Que s'il est irrigué par la confiance de son supérieur

BOB

La confiance et

La confiance et

La confiance et

Le contrôle j'ai toujours dit l'un ne va pas sans l'autre

On peut avoir confiance quand on sait que les contrôles fonctionnent

Plus serrées sont les vis plus grande la confiance

J'ai toujours dit mais n'entendent que ceux qui veulent

BESS

Dieu punira ceux qui L'offensent

Dieu miséricordieux

Dieu punira ceux qui laissent faire aussi

BOB

Petersen l'a très bien dit tout manager tend naturellement vers le relâchement de son effort

C'est la deuxième loi de Petersen tout système tendu
tend à se détendre

Il y a deux mécanismes de compensation le contrôle et
la stimulation

Si ces mécanismes ne jouent pas

BESS

Et moi

Est-ce que je ne t'ai pas toujours dit que tu te faisais
des illusions sur Sidney ?

Ce Sidney n'a aucune valeur c'est un flatteur

Et un jouisseur il n'a pas de cœur ça me fait tant de
peine pour Dorothy

Dorothy est si mignonne il lui faudra tellement de cou-
rage

Entichée comme elle est de son Sidney et ce Sidney
finalement ne pense qu'à son plaisir y compris d'autres

filles qu'il amène à la maison au vu et au su des en-
fants

Bob tu les vois ? Et tu sais ce qu'ils font ? Dieu ne nous
le pardonnera pas

Il ne te pardonnera pas de les laisser faire

La pauvre Dorothy a déjà fait deux dépressions ner-
veuses

Et regarde Nan

Nan est en train de vomir.

NAN

Ne faites pas attention à moi Missis Lamb

Je fais le vide

J'ai décidé moi aussi d'essayer

Dès que ça ira mieux

Je me dis que papa aurait insisté

Finalement j'aurais obéi

*Elle considère Pat qui tient une tranche de viande dans
les mains*

Pat est trop fatiguée pour manger

Il faut manger avant de tomber

Papa finissait toujours par me faire faire ce qu'il vou-
lait ma volonté se dissolvait dans sa bouche mon analyste est étonné que mon identité psychique ait résisté

Il m'aimait d'un amour dévorant j'étais un aliment
entre ses dents il me broyait me triturait

J'étais mastiquée mâchée je me faisais engloutir de la
tête aux pieds

Ça m'a fait un drôle d'effet quand dans le hublot je l'ai
vu voltiger tournoyer de plus en plus petit dans le ciel
puis se poser dans la neige

Se relever se mettre à marcher tituber tomber et puis
rouler et puis plus rien

La petite Nan est morte à ce moment-là je suis devenue
Nancy di Santo une femme

Qui ne se laissera plus jamais manger par personne

Tant qu'elle vivra mais si je meurs ici Mister Lamb

BESS

Ils ne disent pas un mot là-bas

Tu les vois ?

Ou bien c'est que moi

La honte les étouffe

Ils se mettent dans l'estomac

Je ne sais pas s'ils ont découpé Billy ou bien Jimmy
c'est sans doute Billy une partie de Billy je n'ose pas
penser à la partie qu'ils ont choisie et toi tu parles de la
loi de Petersen

Quand ces deux-là seront terminés ils iront chercher
Joe

Un collègue à eux de même rang qu'eux Joe

BOB

Son papa

Bess cette génération m'étonne Nan a-t-elle pleuré une
seule fois ?

Joe avait une façon de prendre les choses

Au retour il y aura tellement à faire tu me rappelleras
de téléphoner à Donald

Personne n'est irremplaçable et en même temps j'ai du
mal à m'imaginer Housies sans Joe

Et le Benjamin Franklin Country Club sans Joe ça ne
sera plus tout à fait le Benjamin Franklin Country Club

Un des cinq ou six meilleurs golfeurs

Et à la patinoire un as

C'était quelque chose le samedi soir sur la terrasse avant le dîner lui et Jenny

De les voir évoluer

TROIS

Cinq jours après. L'aube. C'est le réveil. Couchés tête-bêche, serrés l'un contre l'autre dans la partie la plus confortablement aménagée de la cabine, Bob et Bess. Couchés de même, formant une autre grappe, Dick, Sue, Ed et Nan. Un temps, et puis Jack débouche du dehors, les vêtements couverts de neige.

SUE

T'as pu chier ?

JACK

Hier c'étaient de gros flocons

Ce matin ce sont de petits flocons serrés

Ça tombe

Trois jours et trois nuits que ça tombe

SUE

T'as chié Jack ?

JACK

Pas essayé

DICK

Deux Douglas C-47

Reagan

BOB

Je savais

JACK

J'ai transporté Pat dehors

DICK

Heureusement qu'on a un président musclé

BOB

Ils n'allaient pas nous laisser tomber

C'est parti ils ne vont plus s'arrêter avant de nous avoir
trouvés

JACK

Je n'y crois pas Bob

Notre seule chance c'est d'arriver à remettre en marche
cet émetteur

103

Pour le remettre en marche il faut récupérer les batteries qui sont dans la queue de l'appareil

Il faut chercher la foutue queue de cet appareil

Avant que la neige l'ait recouverte

SUE

Pat va vite l'être

Bientôt on ne va plus savoir où creuser pour la retrouver

ED

Quelque chose qui pourrait servir de piquet

A planter là où elle est

NAN

En attendant ça nous fait un peu de place

Elle prenait la place de deux personnes

Je ne passerai pas une nuit de plus comme la dernière nuit

SUE

Parce que ses genoux n'obéissaient plus

Ses jambes ne se repliaient plus

DICK

Deux Douglas C-47 s'envolent ce matin avec mission du président Reagan lui-même de ratisser les Andes

ED

Vous n'auriez pas une idée ?

JACK

Je n'y crois pas un instant

ED *(son regard fouillant tous les coins de la cabine)*

Ça n'est pas évident

DICK

Vous entendrez vous-mêmes au bulletin de huit heures

ED

Trouver quelque chose ici de rigide qui soit suffisamment long une tige un bâton

NAN

En tout cas je ne dormirai plus ici je dormirai à côté de Mister Lamb vous Missis Lamb vous pouvez occuper la place de Pat

DICK

Ils vont sûrement rediffuser l'information c'était aux environs de quatre heures quand Nan s'est levée pour ses besoins comme de juste elle m'a marché dessus j'ai eu droit à son pied

En plein sur ma plaie

NAN

Moi ?

DICK

Bien entendu

NAN

Je n'ai pas bougé

DICK

Impossible de me rendormir j'ai allumé le poste je suis tombé au milieu du bulletin de six heures

Ils ont annoncé aussi qu'il y a des guérilleros qui nous recherchent

ED

Ça c'est moins bon

NAN

Est-ce qu'elle avait vraiment

Mister Lamb est-ce qu'elle avait des jambes vraiment comme elle disait ?

Des jambes vraiment belles ?

BOB

Il n'y a plus de guérilleros au Chili

Pinochet a éliminé tous les rebelles

NAN

Sous la table je veux dire par-dessous la table

JACK

Presque tous

NAN

En dictant votre courrier sûrement vous les regardiez

C'est forcé comment vous en empêcher ?

JACK

Il en reste bien quelques-uns

Jack examine et manipule le poste émetteur qui a été démonté, transporté du poste de pilotage, et qui est posé au sol devant lui ; plusieurs dizaines de fils de différentes couleurs en émergent.

Dans ces montagnes inhospitalières il se pourrait bien qu'il en subsiste un petit noyau

Le noyau dur les irréductibles

NAN

On dit que tous les patrons regardent les jambes

S'intéressent aux jambes de leur secrétaire

JACK

BAT c'est pour brancher la batterie

ANT c'est pour brancher l'antenne

NAN

C'est mercredi aujourd'hui

JACK

Il faudrait deux volontaires

Avant que la queue de l'appareil

ED

Jeudi

Notre seizième jour ici

NAN

Pat couverte de neige Pat n'a plus froid

Ses jambes ne lui font plus mal j'ai envie d'aller les voir je peux ?

Vous ne l'avez pas déposée là-bas tout habillée au moins ?

JACK

Pourquoi ?

NAN

Ses vêtements vous ne croyez pas qu'ils pourraient nous servir ?

Ed a bricolé un long piquet avec des tringles de rideaux ligaturées bout à bout.

SUE

Compliments Pat disait que vous ne saviez que compter

NAN

Et dormir

ED

J'y vais

NAN

Oh je vais avec vous

Elle essaie de se lever, n'y parvient pas. Ed sort.

SUE

Il faudra manger Nan

BESS

Mange Nan

Bess tend à Nan une tranche de viande.

La Sainte Communion quand Jésus est mort Il nous a donné Son corps pour que nous soyons sauvés

SUE

C'est la dernière tranche séchée qui nous reste

BESS

Jésus

Là-haut

Le veut

SUE

Je l'ai gardée spécialement pour toi

BESS

Grâce à Jésus ça n'est plus autre chose que de la viande

SUE

Arrête de penser

BESS

Jésus au ciel avec Dieu et les anges

Mange

Dick tient d'une main le transistor et, de l'autre, essaie d'orienter au mieux l'antenne qui a été fabriquée à partir de fils électriques et de tiges métalliques.

VOIX

… de l'armée de l'air des Etats-Unis qui met à la disposition des autorités chiliennes deux Douglas C-47 avec leurs équipages les recherches pourraient reprendre demain si les conditions météorologiques le permettent le porte-parole du président Reagan s'est félicité de la collaboration étroite obtenue du gouvernement chilien pour la reprise des opérations non sans avertir les familles que l'espoir est faible de retrouver en vie aucun des disparus de son côté le général Villegas commandant des Forces chiliennes de sécurité a fait état d'un communiqué diffusé à partir d'un émetteur clandestin par des éléments terroristes suivant lequel une brigade de la prétendue Armée allendiste de libération populaire serait sur la trace des éventuels survivants du jet privé du trust multinational Housies entendant les capturer afin de marquer à la face du monde sa détermination de poursuivre le combat prolétarien Moscou le premier secrétaire du P.C. soviétique M. Leonid Brejnev s'est entretenu au Kremlin avec la délégation polonaise conduite par M. Kania tous les problèmes communs aux deux pays ont été passés en revue dans un esprit fraternel et de chaleureuse cordialité…

Ed est revenu, blanchi par la neige ; il procède à la distribution des vêtements rapportés du dehors.

BESS

Jésus au ciel

SUE

Mange Nan

BOB

Et tu n'y crois toujours pas ?

JACK

Non je n'y crois pas

Notre seule chance

Si seulement j'arrive à faire passer le jus dans cette boîte

DICK

Il vient d'entendre et il dit qu'il n'y croit pas

J'ai tout inventé n'est-ce pas ?

J'ai inventé que deux Douglas C-47

JACK

Ah ça je crois tout à fait que deux Douglas C-47 vont
se mettre en vadrouille et sans doute les verrons-nous
passer et repasser au-dessus de nos têtes

Mais de là à ce qu'ils nous aperçoivent

DICK

Il faut qu'il se taise Bob

On n'a pas le droit

JACK

A moins bien entendu que l'esprit fertile de Dick Sutton
accouche d'une idée brillante pour nous rendre visibles
de là-haut

BESS

C'est bien Nan

Une bouchée pour ta sœur Jenny maintenant

JACK

Comme par exemple un procédé qui permette de tein-
dre la surface hélas blanche de cette carlingue dans une
belle couleur vive

BESS

Pour maman

JACK

J'attends que Dick Sutton nous fasse part de son idée
parce qu'imbécile comme je suis je crois qu'on a tout
essayé mais voilà Dick Sutton tout d'un coup va nous
sortir une idée toute simple comme toutes les grandes
idées

DICK *(il a arraché l'émetteur des mains de Jack, l'a jeté
au sol avec force, le bourre de coups de pied)*

Tout ça parce qu'il a peur

Cet émetteur de merde

Combien de jours qu'il fait joujou avec ? Combien de
jours de perdus ?

Tout ça pour retarder le départ parce qu'il a peur

Peur pour sa peau

Peur de partir à l'attaque de ce col alors qu'on sait bien que derrière ce col

JACK

Il ne faut pas détruire l'espoir alors en attendant on détruit le matériel

Pas de chance Dick Sutton vous n'y arriverez pas ce matériel est incassable ses constructeurs l'ont conçu pour résister à tous les chocs

L'avion peut s'écraser le poste émetteur résiste

Trouvez-nous une autre bonne idée

Partir tant que la neige tombe comme elle tombe ça n'est pas non plus

Ça n'est pas encore la bonne idée

Mais admettons que la neige s'arrête de tomber trouvez-nous l'idée qui permettrait de dessiner dans le paysage un immense H de couleur éclatante

H pour Housies

Un H qui crèverait les yeux des pilotes des Douglas C-47

ED

Ou des guérilleros

SUE

Nan qu'est-ce que tu fais ?

NAN

Un piquet

S'ils nous trouvaient

Qu'est-ce qu'ils feraient ?

ED

On ne sait pas

BESS

Ils font les pires choses

Sue attache des raquettes à ses chaussures.

ED

Pat avait presque disparu déjà

SUE

Qui est volontaire avec moi ?

NAN

Pour qu'on le plante

Là où est papa

Qu'on puisse le retrouver lui aussi

BESS

Ils arrachent la langue des hommes

Ils violent les femmes et les écartèlent

SUE

Mister Lamb je vous emmène

A la recherche de la queue de l'appareil

BOB

Moi ?

SUE

Et pourquoi pas ?

Pourquoi toujours les mêmes ?

J'emporte ton piquet Nan

Et ça vous fera du bien vous savez

Le danger est de s'ankyloser

On essaiera aussi de chier il le faut

Venez

BOB

Oui mais non je ne peux pas m'absenter je dois être ici
au cas où quelque chose arrive

Ma place est ici Sue

NAN

Les guérilleros par exemple

Qu'allez-vous faire s'ils arrivent ?

BOB

Bonne question Nan s'ils arrivent

NAN

Qu'est-ce qu'ils nous veulent ?

Qu'est-ce qu'on leur a fait ?

BOB

Je suis celui avec qui ils auront à parlementer

S'ils touchent à nous autant qu'ils sachent ce qu'il peut leur en coûter

NAN

Ils disent qu'ils combattent pour le bien des gens

Des petites gens

Et vous Mister Lamb est-ce que vous ne travaillez pas aussi pour le bien des gens et Housies

BOB

C'est juste Nan

Nous travaillons pour donner aux pauvres gens des logements décents un peu de confort ça paraît simple mais

La difficulté sera de trouver avec eux un langage qu'ils comprennent

NAN

J'ai fait deux ans et demi d'espagnol

BESS

Mais est-ce qu'ils voudront entendre ?

Nan pourra traduire Bob

BOB

J'ai l'habitude de me faire écouter

SUE

Qui m'accompagne ?

BESS

Ce sont des fous furieux

ED

Eh bien je me demande je crois que ce sont plutôt des gens très calmes disciplinés ils sont endoctrinés ils exécutent leurs ordres ils reçoivent leurs ordres de Brejnev

SUE

Missis Lamb qu'en dites-vous ?

BESS

De quoi ?

ED

Via Fidel Castro

SUE

D'une promenade avec moi

BESS

Moi ?

SUE

Vous

BESS

Explique-lui Bob à cette petite mon Dieu mais je suis incapable de marcher

J'ai toujours eu horreur de la marche à pied dis-lui Bob je n'ai jamais fait le tour entier de mon jardin et ici où personne ne fait rien de tout il faut s'occuper

SUE

Comme de découper la viande n'est-ce pas ?

Comme de faire le ménage ?

BOB

Dans toutes les circonstances de la vie Nan comme dans les affaires

NAN

Comme en amour ?

BOB

Sans doute aussi en amour

Le plus difficile c'est de trouver un langage commun mon entretien

Avec comment s'appelle ce général ?

DICK

Figuereido

BOB

Montre bien

Si cet entretien n'avait pas été soigneusement

DICK

Et de longue date

BOB

Si Steve ne l'avait pas préparé

Avant les semences si l'on n'a pas labouré

C'est pourquoi le choix des hommes il n'y a rien qui soit plus important et si l'on se trompe et Steve il est certain que Steve

DICK

Un concept comme le nôtre ça s'infiltre si Steve au Brésil n'avait pas fait un travail très patient d'infiltration

BOB

Parce qu'un concept ne pénètre pas d'un coup il doit faire son chemin

DICK

Dans les couches successives

JACK

Steve a de la ténacité essayez de lui claquer une porte au nez il a le pied dans la porte

C'est là précisément que ni Tom ni Larry Larry encore moins que Tom

DICK

Mais Pete

ED

Je verrais bien Steve en Argentine

DICK

Ou Pete

BOB

En une demi-heure Figuereido avait fait le tour du problème

Il est tombé comme un fruit mûr

Nous parlions le même langage

DICK

Ah ça a été extraordinaire

Le moment où Figuereido a commencé à lécher toute la longueur de son cigare

Il suffisait de connaître le signal Steve savait il vous avait prévenu

Vous avez plongé

Après quoi il ne vous a plus interrogé que sur la solution apportée au problème d'étanchéité

C'était joué

BOB

Quand il s'est levé

L'accolade qu'il m'a donnée

QUATRE

Quatre jours après. Grand soleil. Confection d'un H géant sur la neige avec les moyens du bord : sièges, valises, bouts d'étoffes, vêtements, débris divers, ossements. Tous y participent sauf Bob, absent, et Jack, occupé à connecter les fils des batteries aux fils du poste émetteur.

BESS

C'est tout je le coupe en morceaux et je le roule dans la chapelure

Le secret est de ne pas le laisser au four plus de quelques minutes

Le temps que la croûte se forme que ça soit craquant à peine doré

Dans un poêlon une noix de beurre une pincée de paprika quelques câpres

ED

Sylvia était spécialiste du tournedos Rossini elle avait passé un été au pair à Paris

BESS

Une cuillère à café de sucre brun une cuillère à soupe de crème fraîche

ED

Chaque fois nos invités la félicitaient la dernière fois qu'elle les a faits elle se savait déjà perdue nous avions à la maison les Broadshaw et les Glass

SUE

Moi je le fais à la broche on le mange en croquant du céleri en branche que Danny déterre le matin même dans le jardin

BESS

Danny ?

SUE

Mon fils

DICK

Avez-vous jamais essayé de couper des radis en fines tranches dans du fromage blanc légèrement poivré assaisonné aux herbes ?

NAN

Le dimanche à la cuisine c'est moi qui officie j'en profite pour inventer des fois c'est horrible mais des fois le dimanche avant de partir j'ai fait un canard farci aux abricots ça n'était pas aussi bien que mon crabe farci aux épinards je farcis tout ce que je fais mais que fait Mister Lamb ?

SUE

Lui et moi à l'automne on va cueillir les champignons

ED

C'est pâle de ce côté-là

Cette branche-là du H s'évanouit dans la neige

BESS

On n'a plus grand-chose on n'a plus rien

ED

Il faut rassembler les os

De près un os a l'air d'être blanc

Mais quand avec Sue on a grimpé sur cette crête

De là-haut on ne distinguait ni l'avion ni les sièges ni les gens la seule chose qui tranchait sur la neige c'était les os

SUE

Oui

Vous pourriez Missis Lamb faire une pyramide de tous les petits os et des fragments d'os qui traînent les vertèbres les clavicules même les plus insignifiants les os des mains et des pieds

La pyramide jettera une ombre

Il faut le plus possible de relief

NAN

Où est Mister Lamb ?

ED

Demain il faut y retourner

Avec Sue on a rapporté ce qu'on a pu les batteries la petite valise de Bess le nescafé le cacao le sucre

Il reste une caisse de coca-cola et deux valises dans la queue de l'appareil

BESS

Pour la cinquantième fois il est allé essayer de dégager ses intestins

SUE

La forêt est à notre porte il connaît les coins on ramasse aussi les châtaignes

NAN

Mister Lamb est un embusqué

BESS

Nan

NAN

Oui parce que côté intestins à part Sue on en est tous
au même point

Il se planque

BESS

Cette situation l'affecte profondément

SUE

Pour se déboucher il faut procéder à une extraction

Je ne vous ai pas dit Ed

J'ai utilisé la pipe de Ed

Je me suis enfoncé le tuyau de pipe jusqu'au bout dans
le trou du cul

Pire qu'un accouchement au forceps

La première crotte avec mes ongles je n'ai pas réussi à
la rayer

*Bruit d'avion, montant en intensité. Jack hésite, puis se
joint aux cinq autres qui se livrent à une danse fréné-
tique autour du H, gesticulant, brandissant des bouts
de tissus de couleurs variées. Bob apparaît, il entre dans*

*la danse. Le bruit décroît, remonte à nouveau, décroît
encore et disparaît.*

BOB

Il nous a vus

JACK

Il aurait fait un signe

DICK

Quel signe ?

BOB

Il ne pouvait rien faire de plus que de passer par-dessus
nous

DICK

Par radio en ce moment même il transmet notre repé-
rage exact

BOB

Pour l'envoi d'un hélicoptère

DICK

Il ne pouvait pas lâcher de l'altitude

JACK

Il serait passé deux ou trois fois il aurait fait un cercle

BOB

Il nous a vus il nous a vus

BESS

Oh Bob tu es sûr ?

Bob la première chose que je ferai

NAN

Oh moi une douche

BOB

Chez Nickie's

NAN

Très chaude puis tiède et puis le lit

BOB

Le rognon au madère de chez Nickie's

BESS

Une grande baignoire le bruit de l'eau chaude qui coule
du robinet

SUE

Se mettre toute nue

Se glisser toute nue toute seule dans un lit

NAN

Avant de te laver ?

DICK

Avant de manger ?

On dîne d'abord chez Nickie's

NAN

D'abord on se lave

ED

On se rase

BOB

Chez Nickie's

Le rognon de veau est meilleur que chez Prospero

C'est le meilleur d'Amérique latine

Naturellement Nickie's n'arrive pas à la cheville de Prospero à Buenos Aires qui est sans doute le meilleur restaurant de toute l'Amérique latine

Prospero est incontestablement le meilleur restaurant
du continent

Mais le rognon de Nickie's est meilleur que celui de
Prospero

Et il faut bien admettre que Nickie's est le meilleur restaurant de Santiago

DICK

On peut dire le seul restaurant

JACK

Non

DICK

Comment non ?

JACK

Non

Sans-Souci est un restaurant superbe

BOB

Superbe mais Sans-Souci n'est pas à Santiago tu con-
fonds Sans-Souci est à Lima

DICK

Non à Quito

JACK

Vraiment ?

Ed parlait du tournedos Rossini

Le Rossini du Sans-Souci

ED

Est étourdissant il y a cinq ans ça a été notre dernier voyage ensemble Sylvia depuis plusieurs mois se savait condamnée je l'ai emmenée au Sans-Souci qui n'est pas à Quito j'en suis tout à fait sûr mais à Lima je ne suis jamais allé à Quito et naturellement Sylvia a commandé un Rossini

JACK

Ecoutez

Il a une façon de fondre tout doucement dans la bouche

ED

Il se coupe à la fourchette j'ai dit à Sylvia

DICK

Mais ne faut-il pas réserver plusieurs jours à l'avance

Chez Nickie's ?

BOB

Pas d'inquiétude

Depuis le temps que je connais Nickie

Vous savez que c'est un Russe

J'appellerai Nickie au téléphone personnellement je lui dirai Nikita il nous faut la grande table ronde dans l'angle de la terrasse

BESS
Avec des bougies

NAN
Oh des chandeliers en argent une nappe blanche

BESS
Brodée

BOB
Homard

Assortiment de fruits de mer pour commencer

Les palourdes les huîtres sont pêchées le matin même à Valparaiso

DICK
Et puis le rognon au madère

Et comme dessert

BESS

On fera venir le chariot

BOB

Il y a chez Nickie's un baba

Il y a un gâteau au chocolat nappé d'un coulis de fraises
des bois

BESS

C'est plus fort que moi

Je finis toujours par prendre les profiterolles

NAN

Oh et puis

Un grand

Un grand grand lit me couler dans les draps

Un édredon en duvet oh

JACK

Nan ça ne va pas ?

NAN

C'est trop

Je crois que je n'irai pas chez Nickie's

Un lit profond où l'on s'enfonce

Un oreiller

Oh Sue et toi

SUE

Moi je ne sais pas

La nuit commence à tomber il se met à faire froid

Hésitation générale. Sue, la première, prélève un vête-ment sur le H et s'enveloppe dedans. Peu à peu chacun fera de même, et le H progressivement se dégarnit. Jack est retourné à son poste émetteur, Bess s'installe à côté de lui. Ed va découper de la viande, accompagné de Nan. Bob se retire dans la cabine. Dick et Sue se sont attelés à une tâche de couture.

NAN

Je vois bien

Cette façon que vous avez Ed de me regarder

Vous pensez que c'est moi

ED

En comptabilité magasin il y a les entrées les sorties et le stock

Le stock au jour J égale le stock au jour J-moins-un plus les entrées moins les sorties

Ça doit se réconcilier

Si ça ne se réconcilie pas il y a coulage

J'ai débuté chez Housies comme assistant magasinier cinq ans après j'étais chef des magasins matières premières

C'est une partie que je connais bien

Trois jours de suite que je constate une différence négative entre le stock au jour J moins le stock au jour J-moins-un d'une part et notre consommation d'autre part

NAN

Et vous me soupçonnez Ed ?

Je sais qui c'est je l'ai vu

Un professeur que j'ai eu l'année dernière il s'appelait Bach c'était un homme paisible comme vous Ed jamais un mot plus haut que l'autre mais ce qui me fait penser à lui la couleur de ses yeux parfois changeait à cela on voyait que ça allait très mal

BESS

Quelque chose qui ne tourne plus rond chez lui

Comme si la vie était un disque

Et son disque à lui s'était rayé

Vous avez toujours eu sur lui de l'influence Jack

Bob m'échappe

Il n'y a que vous qui puissiez essayer

JACK

Intéressant parce que vous m'avez toujours détesté

Pourtant vous faites l'effort de venir me parler

Vous vous adaptez aux circonstances particulières Bess

Tandis que Bob le problème de Bob est qu'il s'était habitué à ce que les événements plient devant sa volonté

BESS

Pour certaines choses il est tellement entêté

Cette petite plaie avec laquelle il s'est trouvé dans le bas du dos après l'accident quand j'ai voulu m'en occuper maintenant elle s'est infectée

DICK

Je vous ai observée Sue

JACK

Dans les circonstances où nous sommes

Les événements

Ce sont eux qui sont les plus entêtés mais il voudrait les faire plier

Comme à Seattle

Au fond Bob est désorienté

Alors il chaparde

BESS

Que dites-vous ?

DICK

Bob oui Bob en a ainsi décidé c'est moi qui conduis la prochaine expédition ma petite Sue

Alors si vous voulez

JACK

Lui oui

SUE

Moi ?

NAN

Absolument certaine oui

ED

Il faut soupçonner tout le monde

Oui moi autant que les autres

DICK

Mais sans Jack

Il n'y a pas d'atomes crochus entre lui et moi

Jamais eu

SUE

Ni entre vous et moi

DICK

N'empêche que vous accepteriez mon autorité en tant que chef de l'expédition n'est-ce pas

Avec Jack partir ensemble on se boufferait le nez mais vous

En outre Sue je vous découvre

NAN

De mes yeux

SUE

Je suis étonnée

DICK

Vous me plaisez

SUE

Flattée

NAN

Rôder du côté du garde-manger quand il savait que tous les autres étaient couchés j'étais sortie pour aller faire pipi j'étais accroupie

JACK

Le plus étrange Bess c'est qu'il en prend plus qu'il ne pourrait à lui seul en absorber

SUE

Peut-être faut-il que vous sachiez

JACK

Il faut croire qu'il se constitue quelque part une réserve
secrète un garde-manger particulier

SUE

Votre patron a chargé Bess de tout spécialement me
surveiller

Normal

Je ne suis pas de votre monde Jack m'a imposée

DICK

Normal que Bob

SUE

Me soupçonne mais la fauche

Peut-être faut-il que vous sachiez

BESS

Il est né dans une famille très modeste à Philadelphie
on n'y mangeait pas tous les jours à sa faim

Que ça reste entre vous et moi Jack

JACK

Avant tout il faut que ça s'arrête

ED
Nan il faut à tout prix

NAN
Quoi ?

ED
Ne pas en parler

NAN
Là vous faites tout à fait la tête du professeur Bach

Mais Ed vous laisseriez continuer ?

JACK
Bess vous savez qu'il reste très peu à manger

BESS
Bientôt il y aura plus

Surtout ne rien dire

DICK
Je reste sans voix

SUE

C'est surtout qu'à ce train on va vite rester sans viande

DICK

Etes-vous sûrc absolument

De ce que vous dites ?

SUE

Non c'est sans doute une erreur

Nan a fait l'erreur de le voir

DICK

Elle a pu rêver

SUE

Alors Jack aussi a rêvé

Parce que Jack aussi l'a vu

Bob apparaît.

BOB

Tout le monde est bien silencieux

J'ai pris des dispositions pour la prochaine expédition

Le niveau de nos stocks m'inquiète de plus en plus

Mais de quoi parlait-on ?

JACK

De choses qui n'ont plus d'importance

Puisque les C-47 nous ont vus l'important est d'avoir été vus

L'hélicoptère arrive d'un moment à l'autre

Ne parlons plus d'expédition

Sue entraîne Nan à quelque distance, elles allument un feu avec des planches de caisses de Coca-Cola, mettent à cuire dans une poêle des débris de viande.

BOB

L'important est que les choses qui doivent se faire

Se fassent

Parlons du cinquante-neuvième étage au cinquante-neuvième étage il y a les bureaux

Directoriaux vos bureaux mon bureau les bureaux qui sont faits pour qu'on y fasse ce qu'on a à faire et il y a les couloirs

Les couloirs sont spacieux la moquette est épaisse il y a ici et là un canapé il est agréable d'y stationner ou de déambuler on n'entend pas les pas

Ça fait quelque temps que j'observe un glissement de la population du cinquante-neuvième étage des bureaux vers les couloirs

Les couloirs bruissent c'est un murmure feutré

Un murmure ininterrompu

De sarcasmes et de machinations

Pendant ce temps bien sûr rien de ce qui doit se faire dans les bureaux

Ne se fait

NAN

Ça aussi ?

SUE

Oui

BOB

Il n'y a pas de mystère

Les conciliabules dans les couloirs

Ça va ça vient

NAN
Et ça ?

SUE
Aussi

BOB
Le bavardage a pris la place de la réflexion le persiflage

Mais tout ça va changer

Sans attendre

Il y en a qui ne perdent rien pour attendre

JACK
Il n'y a rien à perdre et pas grand-chose à attendre

BOB
Vraiment ?

Les choses vont changer pour ceux ici même qui m'écoutent et s'il faut qu'il y ait des cadavres

Pete je le rapatrie j'en fais mon bras droit à Seattle il prendra la place de Joe

Pete est un garçon solide

En Argentine je mets Larry

DICK

Larry ?

BOB

Larry a montré de quel bois il se chauffait

Si nous avions pu rencontrer ce général comment s'appelle-t-il ?

DICK

Pinochet

BOB

Le contrat est pratiquement dans la poche et le mérite
en revient entièrement

A Larry

DICK

Il semble que Larry ait fait son travail mais Bob

Méfions-nous des mauvaises surprises attendons

D'avoir vu Pinochet

BOB

Je verrai ce Pinochet mais vous auriez intérêt

A ne pas vous en mêler je vous conseille de la boucler
d'ailleurs

Cette question n'est plus de votre ressort

DICK

Mais Bob

BOB

Vous pouvez commencer à penser

A la France

DICK

Comment ?

BOB

Deux ou trois ans sur le terrain pour réapprendre la
dure réalité des choses ça vous fera le plus grand bien

Dans la gadoue jusqu'aux genoux

Vous prendrez vos fonctions à Paris le 1er décembre

Noël à Paris Dick

ED

Bob je comprends votre raisonnement en même temps

Avec Joe qui n'est plus là est-ce le moment de dégarnir davantage nos rangs ? Je propose qu'on prenne le temps de réfléchir

BOB

Qu'on prenne le temps ?

ED

Restructurer oui mais sans se précipiter

BOB

Sans se précipiter ?

Dans votre département c'est la grande spécialité prendre son temps ne pas se précipiter

Résultat rien ne se fait les contrôles ne se font pas alors de temps en temps tombe une mauvaise surprise n'est-ce pas ?

Sidney trafique ses états de stocks en Argentine ? Eh oui que voulez-vous Sidney a trafiqué ses états de stocks on s'en aperçoit quand c'est trop tard on prend des mines consternées

Seulement il n'y aura plus de mauvaises surprises comme en Argentine Ed vous m'entendez

Pour la bonne raison que j'ai décidé de vous déplacer

Là où je vous mettrai vous aurez le temps

Beaucoup de temps

JACK

Pour l'immédiat ces dames heureusement sont là qui s'occupent du dîner

Cette odeur est alléchante

Notre dernier dîner ici parce que assurément l'hélicoptère

Un peu tard pour ce soir l'hélicoptère ne viendra pas ce soir n'est-ce pas Bob ?

Mais demain matin Bob n'est-ce pas ?

Après le dîner il faut penser

A boucler nos valises n'est-ce pas ?

BOB

Et se préparer à faire escale à Washington tel que je connais Reagan

Il voudra nous accueillir personnellement mais nous ne nous arrêterons pas longtemps et je vois bien les pensées qui roulent dans ta tête

Mais elles ne rouleront pas longtemps parce que au cinquante-neuvième étage

Cette façon de toujours tout dénigrer

C'est fini il n'y aura place dorénavant place que

Bob, pris de malaise, s'affaisse légèrement. Bess le soutient.

Place que pour des hommes animés par la foi et qui savent transmettre cette foi de haut en bas

Je veux je veux que

Je veux que le cinquante-neuvième étage

Bob s'effondre. Bess, Dick, Ed, Jack l'entourent, s'empressent auprès de lui. Bouche à bouche, mouvements des bras et autres gestes de réanimation.

BESS
Oh Bob

SUE
Goûte Nan

NAN
C'est corsé

On dirait presque

On dirait que c'est salé

SUE
Ça l'est

J'ai coupé les intestins en rondelles le gros et le grêle

NAN
Sans les vider ?

SUE
Tout est là

NAN
J'avais oublié ce que c'est le goût du sel

C'est fabuleux

SUE
Encore une minute sur le feu ça sera encore plus savoureux

ED
Le cœur bat

NAN

Tu es sûre qu'on peut manger ça ?

SUE

J'y ai mis aussi une cervelle

NAN

Tu es sûre

JACK

Les narines remuent

NAN

Que ça ne va pas nous rendre malades ?

SUE

Une couille regarde

NAN

Vraiment

BESS

Dieu soit loué

DICK

Le vent s'est levé

Transportons-le dans la cabine

SUE

Maintenant on peut les appeler

NAN

Ce sera difficile

SUE

Mais non

NAN

De raconter à maman

SUE

Nan Mister Lamb vit ses derniers moments

NAN

Ce morceau ?

SUE

Goûte

NAN

C'est doux c'est fondant les dents s'amusent dedans

SUE

Le foie

ED

Le pouls bat

NAN

Hmm

Et avec cette grosse enveloppe de graisse tout autour

BESS

Bob

DICK

Ses lèvres

JACK

Remuent

SUE

Un rein

BOB *(se dressant sur un coude)*

Et vous direz à Nickie

Ils ont même prétendu la CIA a longtemps cru

Larry m'a alerté je suis intervenu bien entendu auprès de Leslie à Washington Leslie

Pauvre Nickie il s'en est vu

Il s'est débattu comme il a pu moi un agent du KGB ?

Ils l'ont enlevé ils l'ont interrogé

Et puis tout s'est arrangé

Grâce à Leslie il faut dire que Leslie

Bob retombe. A nouveau, soins de secourisme mais, cette fois, Bob est mort. Rassemblement autour du foyer. Sue sert le ragoût. Repas.

JACK

Si tu restes à Santiago

Tu pourras te faire embaucher par Prospero

NAN

Par Nickie

JACK

Je veux dire par Nickie

A moins que tu finisses par reconnaître que Santiago

On ne peut pas vivre à Santiago

Et que tu retraverses les Andes pour te faire embaucher
par Prospero

SUE

Nan est devenue aventureuse

Mon marmiton a voulu goûter de chaque morceau

Et que je lui dise

BESS

Ne me dites pas

ED

Nan ? Elle a repris du poil de la bête

NAN

Et du poids

Je veux être de la prochaine expédition

SUE

On a brûlé les derniers morceaux de bois

Les prochains repas seront froids

CINQ

Six jours après. Dans la cabine. Nuit. Pleine lune.

BESS
Quel est ce bruit ?

NAN
Le vent

BESS
Es-tu sûre ? On dirait des pas

Un crissement

ED
Dix millions

DICK
De dollars ?

ED

Voire même quinze

Ils pourraient en demander quinze

JACK

Le vent seulement

Soufflant par rafales

DICK

Ils vont nous traduire devant un tribunal du peuple

Ils vont nous condamner pour crimes contre le peuple

SUE

Eux au moins ils savent

Où aller chercher la vallée

ED

Ils n'ont pas de parole

Une fois la rançon versée

NAN

Les femmes aussi ?

BESS

Ça recommence

Ils sont une dizaine au moins

ED

Toute une escouade

DICK

Nous n'avons pas une arme

BESS

Ils vont nous mettre tout nus

Pour nous fouiller

NAN

Les femmes aussi ?

JACK

Ce n'est que le vent

ED

Et on va mourir gelés debout

Pinochet ne voudra pas

SUE

Que la rançon soit versée

Jack chante-nous ta chanson

JACK *(chantonnant)*

Un râtelier

Du foin

Le cheval mange

C'est l'automne

DICK

Quinze millions

NAN

S'ils mettent les femmes toutes nues

Ils vont déboucler leurs ceintures

BESS

Et nous violer et nous écarteler

JACK

Pas à cette altitude

Ils attendront d'être dans la vallée

ED
Vous les entendez ?

JACK
A quatre mille mètres essayez de bander

DICK
J'entends les pas

BESS
Un murmure de voix

ED
Ils prennent position autour de la carlingue

JACK
C'est la chance d'être tombés à cette altitude

A cette altitude pas d'érection

Pas de corruption

La chair reste intacte à perpétuité

SUE

Aux hommes ils arrachent la queue

JACK

Et les oreilles

NAN

Ils peuvent me faire ce qu'ils veulent

Mais qu'ils viennent

Qu'est-ce qu'ils attendent ?

JACK

Je vais leur dire que nous sommes prêts

Pour les recevoir

SUE

Pas tout seul

Jack sort. Un instant après, Sue le rejoint dehors. Ils ins-
pectent les environs, pliés en deux pour résister au vent.

BESS

Pas de microbes non plus

Moi qui à Seattle m'enrhumais au moindre courant d'air

Si Bob était encore là il pourrait vous le dire

Je consommais à Seattle

Une boîte de Klccnex par semaine

ED
Cet homme Figuereido vous avez remarqué

Sur son bureau pas un dossier pas un papier une boîte
de cigares une boîte de Kleenex et un petit drapeau
avec ça on gouverne le Brésil

Il n'arrêtait pas de se moucher

SUE
Jack il fait si froid

Comme la première fois

Le charme joue

J'avais envie de te dire ça

Jack j'ai peur

JACK
Il n'y a pas l'ombre d'un guérillero

Tu vois

SUE
Pas de ça

JACK
Mais le vent n'a jamais soufflé comme ça

Tu me plais aussi fort que la première fois

Santiago est une ville ingrate

SUE
Ça me plaît de sentir le vent jusqu'aux os

J'ai peur je ne sais pas comment dire

C'est une peur de petite fille

Comme quand papa appuyait sur l'accélérateur très fort

Serre-moi dans tes bras

JACK
J'ai la respiration coupée

Ils s'embrassent.

SUE

Rentrons

ED

Si vous installez votre usine à Manaus

Jack et Sue retournent dans la cabine.

JACK

L'armée secrète a battu en retraite

SUE

Ils nous ont échappé

ED

Quand je l'ai entendu dire ça

La partie était gagnée il ne s'agissait plus que de savoir

Où

Nous allions installer notre usine

Si vous installez votre usine à Manaus et il fallait voir
Bob

Il est resté imperturbable

Bob a été superbe

BESS

Cette petite est transie

Venez Sue que je vous réchauffe

Quelle idée de mettre le nez dehors par un temps pareil

*Sue s'est blottie entre les jambes de Bess qui la bourre
de petites tapes et lui souffle dans le visage.*

ED

Et le général d'essayer de nous convaincre

A Manaus vous bénéficierez de la main-d'œuvre la
moins chère de l'hémisphère

A Manaus pas de grèves parce que pas de politique les
syndicats sont dans nos mains les grèves sont interdites
par la loi d'ailleurs les ouvriers n'en veulent pas

A Manaus la main-d'œuvre est docile Mister Lamb
docile et bon marché les salaires sont bloqués

Terrain gratuit adduction d'eau arrivée du courant
payés par l'Etat et pas d'impôt pendant cinq ans

DICK

Bob qui ne bronchait toujours pas

Ça va faire du remue-ménage à Wall Street

Quand ils apprendront que la succession est ouverte

ED
Wall Street réagira dans le bon sens

L'action montera

Il y aura une vague d'achats spéculatifs

DICK
D'un coup

Cette dégradation de l'image de Bob à Wall Street

JACK
Si longtemps le héros

DICK
Le chéri

JACK
Et puis la disgrâce

ED
Brutale

Housies mis en pénitence

BESS

C'était tellement injuste cette perte de confiance n'est-ce pas ? Kaufman en tête tous ces analystes financiers sont des meurtriers

Bob a beaucoup souffert il n'en parlait pas mais il a commencé à faire de l'insomnie

Je l'ai emmené voir le professeur Bride à Los Angeles qui est le plus grand spécialiste du stress Bob n'arrivait plus au bout de son bol de corn-flakes et de ses œufs au plat le matin

J'ai l'impression que le vent a cessé

SUE

Ça me fait du bien ce que vous me faites Missis Lamb

BESS

Il comptait énormément Sue sur les résultats de cette tournée en Amérique latine pour renverser la tendance

Dieu a voulu qu'il meure avant d'avoir regagné la faveur de ces analystes

DICK

Il n'y a pas un nuage et le vent est tombé

Ma plaie est entièrement cicatrisée

Aujourd'hui est le jour

BESS

Sans doute son plus grand regret

Ça et de n'avoir pas eu de fille je n'ai su lui donner que deux garçons

ED

Et cette tournée aurait pu effectivement si Sidney

Moi je ne comprends pas que Sidney

Si nous avions pu avoir avec Videla un entretien dans les mêmes conditions avec Videla en personne

JACK

Viola

Le général Videla a été vidé c'est maintenant le général Viola

BESS

Et quels garçons

Ils ne lui ont donné aucune satisfaction

Aucune ambition

C'est pourquoi il s'est tout de suite attaché à toi Nan

Il portait sur toi un regard de tendresse

A notre retour à Seattle il aurait veillé sur toi il aurait remplacé ton papa

DICK

Sue aujourd'hui est le jour

On y va ?

Cette sortie sera la bonne

Le jour s'est levé. Soleil. Routine du matin. Ménage de la cabine. Tout ce qui sert de literie est étendu ou posé au-dehors. Distribution d'eau et de viande.

NAN

Pourquoi pas moi ?

Toujours elle jamais moi pourquoi ?

BESS

C'est le manque de persévérance chez Jonathan surtout qui le minait aucune suite dans les idées chez ce garçon

DICK

Vous voyez cette crête

Derrière cette crête une autre crête encore un peu dans
la brume

BESS

Cette façon chez Jonathan de ne jamais aller jusqu'au
bout

Je disais à Bob que ce n'est pas ça ne peut pas être de
la paresse il a des dispositions pour peu qu'il tombe un
jour sur quelque chose qui l'enthousiasme

DICK

Vers le milieu de cette deuxième crête une échancrure

C'est là derrière que prend naissance la vallée

La vallée semble se diriger vers l'est

C'est ce qui vous a trompé Jack

Moi j'ai une certaine expérience de la configuration de
ce genre de relief

Vous et votre esprit rationnel mais la nature suit une
autre logique la vallée fait un crochet elle s'incurve

A force de faire des randonnées à ski avec mes parents
depuis l'enfance dans les Alpes autrichiennes je ne sais
pas si c'est acquis ou inné

Mais je ne me suis jamais perdu en montagne j'ai un sens de comment ces masses fonctionnent entre elles

Quand une vallée rencontre l'obstacle elle le contourne

Cette vallée je vois comme si j'y étais la courbe qu'elle dessine pour déboucher dans la vallée plus centrale qui descend jusqu'à la plaine et puis l'océan

Sue est en meilleure condition physique que toi petite Nan

NAN

J'ai récupéré mes forces

DICK

Sue est plus résistante

J'emmène Sue et vous Ed nous partons tous les trois

ED

Je suis un esprit borné

Votre vallée vous la rêvez et moi les rêves

DICK

Vous n'avez pas pratiqué la montagne

ED

Je suis un homme de chiffres

DICK

Alors laissez-vous guider

NAN

Moi je pars avec vous Dick c'est décidé

JACK

Tu m'as sauvé la peau Nan je voudrais te rendre la politesse

Son histoire c'est l'aller sans le retour

NAN

Ça c'est vos histoires avec Dick il suffit qu'il pense quelque chose pour que vous disiez juste le contraire

Cet émetteur vous avez essayé de le faire marcher ? Résultat ? Vous avez abandonné ? Et vous ne disiez pas que c'est notre seul espoir ? Alors maintenant vous essayez de nous faire peur ? J'en ai assez de vous Jack et de vos moqueries qui blessent j'aime mieux croire

Et c'est simple je ne peux plus

Je ne resterai pas ici un jour de plus

177

*Commencent les préparatifs de départ de Dick et de
Nan, auxquels les autres participent.*

ED

D'où viennent ces morceaux ?

JACK

Creusé dans la neige tout à côté du nez de l'appareil
j'ai repéré

ED

Le garde-manger de Bob ?

Dix-huit tranches

JACK

Le compte y est ?

Et même encore deux olives

Tout ça minutieusement rangé

BESS

Vous ne ferez pas d'imprudences Dick ?

Je voudrais que vous notiez le numéro de téléphone de
Jonathan vous ne lui direz pas les choses brutalement

Celui de Gordon ce n'est pas la peine Gordon est un nomade en ce moment il doit être en Ethiopie

Gordon est un artiste il a choisi de devenir artiste parce qu'il détestait l'argent

Encore trop tôt pour savoir s'il a du talent

Bob aurait voulu être fixé naturellement

Et un soir pourquoi est-ce qu'on n'inviterait pas à dîner Randy Sheffields qui est le conservateur en chef du musée des Beaux-Arts de Seattle ? Randy est un homme très agréable

Et j'ai dit à Bob on montrera à Randy quelques toiles de Gordon on ne dira rien à Gordon

Randy ne refusera pas de te donner une opinion toi qui es membre du Conseil de surveillance du musée des Beaux-Arts et un des principaux donateurs mais non m'a dit Bob sans doute parce qu'il avait peur de ce que Randy lui dirait

ED

Et ce fond de bouteille de vodka aussi ?

JACK

Le stock à présent se réconcilie ?

BESS

Alors sans rien dire à Bob je me suis adressée à Pat

Pat en tant que trésorière de l'Association des amis du musée des Beaux-Arts de Seattle avait beaucoup affaire avec Randy

Je ne suis pas sûre qu'elle n'avait pas un petit béguin pour lui

Randy Sheffields est toujours resté célibataire on dit même

ED

Je propose que le reste de vodka soit attribué au corps expéditionnaire

BESS

C'est souvent le cas dans les milieux artistiques

Parfois je me suis posé la question pour Gordon

C'est naturel pour un garçon d'amener de temps en temps une fille à la maison

Oh Ed et vos manèges avec Pat

Je suis convaincue que rien n'a échappé à Bob Bob voit tout et vous connaissez Bob et ses principes

Je n'ai pas compris Ed

ED

Pour vous dire la vérité Bess

Je n'ai pas compris moi non plus

DICK

La moiteur

JACK

Affolante

DICK

Des nuits brésiliennes

BESS

Ça a été une nuit horrible et j'ai dit à Bob

Bob il faut faire une réclamation mais Bob

NAN

Quand je pense à Pat

Je me dis que c'est bien Ed

Que vous ayez couché avec elle cette nuit-là

BESS

Bob pour certaines choses je sais bien

Ce n'était pas la peine que j'insiste il était si fidèle à ses hôtels

Bob serait retourné à l'Excelsior

Et je sais bien que c'est la Compagnie qui paie mais vous savez à combien revient la nuit à l'Excelsior ?

Accolades. Départ de Dick et de Nan.

ED

On venait de se marier Sylvia était au volant de la vieille Buick

BESS

Oh Ed vous avez été si patient avec Sylvia si courageux

Ça m'épouvante de penser qu'on paie des prix pareils

Avec tant de misère tout autour

ED

Une demi-heure avant de mourir sa tête s'est posée sur mon épaule elle m'a répété la même phrase mot pour mot

Ed n'oublie jamais que je ne suis qu'une fille qui passe dans ta vie

Vous vous souvenez de son rire en grelot

BESS

Combien de fois

ED

L'instant même avant de mourir elle m'a donné à entendre son rire

BESS

Bob et moi nous nous sommes dit il faut qu'Ed se remarie

Ed n'est pas un garçon qui peut se débrouiller seul

ED

Pourtant vous voyez

BESS

Un soir nous vous avons présenté Marjorie

Et puis Bob vous a grondé

ED

Même et surtout après la mort de Sylvia

Je ne pouvais pas me séparer de Sylvia

BESS

Quand même vous avez exagéré

Cette pauvre Marjorie

Vous ne l'avez même pas regardée

SIX

Neuf jours après. Trois figures accroupies, pantalon aux chevilles, dans la neige.

ED

Mais il savait s'entourer de gens qui n'étaient pas tous des courtisans

Comme vous Jack

Et si j'ose dire

Comme moi

SUE

On croit qu'on a fait le vide

Et puis ça re-explose

Regardez

ED

Qu'est-ce que c'est ?

JACK

Un condor

Première apparition d'une vie autre que la nôtre

Depuis que nous sommes ici

SUE

Non j'ai vu une mouche voler

JACK

A noter sur le journal de bord

Le trente-cinquième jour

ED

Ni vous ni moi pas plus moi que vous Jack

Vous et moi nous sommes de bons seconds

Lui c'était un remueur

SUE

Un deuxième un troisième

Ils ont des ailes immenses

JACK

C'est le volatile le plus volumineux qui subsiste depuis
la disparition des ptérodactyles

SUE

Je n'aime pas leur bec

JACK

Ce sont des charognards

Pas de danger pour nous

*Bess apparaît. Elle baisse le pantalon, retrousse les cou-
ches de couvertures qui lui servent de manteau, s'accroupit.*

SUE

Les premiers temps on n'a consommé que les parties
nobles

JACK

Jusqu'à ton fameux ragoût

SUE

Il y a encore des restes disséminés partout

Vous aussi Missis Lamb ?

BESS

Laissez tomber les politesses Sue

Appelez-moi Bess

SUE

Il faudrait les rassembler les mettre à l'abri de ces oiseaux

JACK

Là où Bob avait aménagé son garde-manger

Le trou est tout creusé

ED

Bob laisse un tel vide vous me direz que je rabâche

Ce n'est ni vous ni moi qui pourrons le combler

SUE

Alors Bess vous aussi ?

ED

Je ne vois personne même pas Dick

JACK

Surtout pas Dick

BESS

Dick si peut-être Dick oh Sue

Les entrailles dévastées c'est la tempête

SUE

Il y a des accalmies et puis l'horreur ça revient par saccades

ED

Sans transition passer d'un état extrême à un autre extrême

BESS

La constipation c'était mieux pourtant Dieu sait

En ce moment Dick et Nan débouchent peut-être dans la plaine

JACK

Ou alors les condors sont à l'œuvre sur ce qui reste d'eux au fond de la vallée qui s'incurve

SUE

Au moment où l'on croit que c'est fini

BESS

Dieu veille sur eux

ED

Je penche plutôt pour la dernière hypothèse

JACK

De toute façon Bess Dick ne faisait pas le poids ni Joe ni Dick ni aucun de ces petits marquis

C'était la faiblesse de Bob de se laisser séduire par ces jeunes gens interchangeables issus de Harvard

Mais Bob c'était autre chose c'était un astre comme il s'en lève un de loin en loin dans le monde des affaires

Un géant et il aurait rebondi

SUE

Un tremblement de terre fait comme ça

Par secousses intermittentes

On se dit que c'est fini et ça repart

JACK

Et Wall Street serait de nouveau tombé à ses genoux

Parce que le coup de l'Amérique latine

Le coup de l'Europe il y a vingt-cinq ans a été génial

Mais le coup de l'Amérique latine est encore beaucoup plus énorme un coup d'une intelligence confondante

Parce que c'est un coup politiquement juste

Bob avait cette intelligence ou cet instinct qu'on n'acquiert pas à Harvard

Avec ça on casse la baraque

La couronne de Housies pour remplacer les assemblages de tôles et de cartons autour des principaux ensembles urbains

Les cinq mètres carrés par personne entièrement équipés qui redonnent à l'homme sa dignité pour le prix d'un mètre carré bâti en matériaux traditionnels

Dans la conjoncture qu'ils traversent c'est pile ce dont ces généraux ont besoin

Que sais-tu des tremblements de terre ?

SUE

Au Mexique dans l'Etat du Chiapas

La prison où j'étais se trouvait à quinze kilomètres de l'épicentre

JACK

En prison ? Et tu as vécu au Mexique ?

Je ne savais pas

SUE

Ni beaucoup d'autres choses de moi

JACK

L'arrivée des condors

C'est l'arrivée du printemps

Et les nouveaux problèmes que ça va poser

Ed s'essuie, se relève, reboucle son pantalon. Successivement, Sue, Jack et Bess feront de même. Recherche et rassemblement des restes de viande épars aux alentours.

ED

Comme ?

JACK

Risque d'avalanche conservation des aliments

Et je crains pour la stabilité de notre nacelle qui avec la baisse du niveau de la neige tout autour

Finira un jour par basculer et alors

ED
Trois bonnes raisons de ne pas s'attarder

JACK
Je crois qu'on devrait effectivement songer à s'en aller

SUE
Tous les quatre ensemble ?

JACK
Je ne sais pas si Bess

BESS
Moi je ne bouge pas

Je suis bien ici

Partez tous les trois

SUE
Pas question Bess de vous abandonner

BESS

Vous viendrez me chercher avec l'hélicoptère

Je n'ai pas peur de rester ici seule quelque temps

Est-ce possible ?

SUE

Oui

BESS

Un papillon

Ça recommence

Elle baisse son pantalon, s'accroupit.

ED

Maigrichon

SUE

Ça ne prévient pas

Il a l'air tout étonné

ED

Il y a de quoi

Pas grand-chose à butiner

BESS

Cette fois j'en ai plein le pantalon

JACK

C'est un signe intéressant Ed

Les fleurs ne peuvent pas être bien loin

SUE

Dans les boyaux

Le dégel

ED

Un signe printanier

BESS

Il est peut-être comme nous loin de sa base arraché

ED

Soulevé jusqu'ici par un tourbillon d'air chaud venant de la plaine

JACK

Le temps de vie d'un papillon est d'une journée

SUE

De l'autre côté de cette montagne

ED

La plaine

SUE

Quel mot

Il fait rêver

Je vous attendrai avec Bess

Vous deux partez

ED

Un bridge en or

L'or dans la neige fait un effet

Sue en tout cas doit partir de nous trois c'est elle qui a le pied le plus sûr

Et s'il faut escalader cette montagne jusqu'au sommet

La paroi du sommet semble toute lisse

D'ici au moins elle paraît parfaitement verticale

JACK

Pas d'alternative

Il faudra se hisser jusqu'à la cime du rocher

Redescendre de l'autre côté

ED

Le vide ne me réussit pas

BESS

Oh Jack Bob avait une haute opinion de vos capacités même si entre vous deux il y avait sur certains points une incompréhension

Et il avait confiance en vous Ed pour toutes les questions de gestion Bob se reposait entièrement sur vous

Vous devez partir tous les trois

Elle se relève, s'essuie, reboucle son pantalon.

J'ai cousu deux sacs à dos il me reste ce qu'il faut de fil pour en coudre un troisième

JACK

Pourquoi ne m'as-tu jamais dit ?

SUE

Jamais tu ne m'as posé de questions tu sais bien

Que je n'existais pas avant que tu me rencontres

ED

Je reste avec vous Bess

Ici seul personne ne survivrait

Parler est un besoin

SUE

Tu m'as rencontrée et quelle chance j'ai commencé à exister

N'est-ce pas ?

ED

Ne serait-ce que parler

JACK

Tu y es restée

SUE

Trois ans ces trois ans là-bas

Ont tout décidé

ED

Le vertige

Quand du haut d'une rampe d'escalier je me penche

BESS

Bêtise Ed vous monterez les yeux fermés

SUE

Dans ce village je me suis prise pour une fille courageuse

La première fois qu'on m'a servi de gros vers annelés à la carapace craquante qui grésillaient dans une friture un peu douteuse

Une petite bouchée de vers et une grosse bouchée de bananes frites pour faire passer

C'était dans la jungle du Chiapas nous étions quatre jeunes Américains romantiques à faire des fouilles ce qu'ils appellent de l'archéologie sauvage ils m'ont prise ils m'ont mise dans la prison de Tuxtla Gutierrez c'est là que j'ai rencontré ce garçon lui il venait de Tananarive il avait tué on a fait ensemble Danny

BESS

Tu as été un papillon

SUE

Les vers deviennent des papillons

JACK

Ah pas n'importe lesquels

ED

Ici il n'y a pas de vers les cadavres ne se peuplent pas de vers

BESS

Tant de misère tant de laideur à quoi on a échappé

Je trouve que c'est miraculeux

Et ce nuage

Je me sens comme un nuage qui se sépare en d'autres nuages et tous ces nuages

Je ne m'ennuierai pas ici

C'est comme si je connaissais tout et sans cesse

Sans cesse tout recommençait

Chacun de vous doit enfiler au moins trois pantalons qu'il y ait une bonne couche d'air entre chaque pantalon

Heureusement qu'il y a beaucoup de pantalons

Celui-ci est le pantalon que Bob avait mis pour la visite au général Figuereido et qu'il aurait mis pour aller voir le général Pinochet

Le costume vient de chez Brooks Brothers nous l'avons fait faire à notre dernier séjour à New York je lui disais

Bob les tissus à Londres sont meilleurs et c'est beaucoup moins cher

Mais nous ne restions jamais assez de temps à Londres

Et Bob quand nous étions à Londres

En fin d'après-midi Bob préférait lécher les vitrines dans New Bond Street

Quelquefois nous entrions chez un antiquaire

Le guide de *Time and Life* dit que le Chili est une petite Angleterre

Avec un peuple très sophistiqué très doux

JACK

Les bivouacs là-haut

BESS

Et des bazars magnifiques les paysans descendent dans leurs carrioles

Avec des objets folkloriques des paniers des blouses
brodées des terres cuites authentiques et qui sont encore très bon marché

JACK

Il faut prévoir que nous aurons à bivouaquer plusieurs
nuits de suite et sur des pentes balayées par le vent

Le danger est de mourir de froid la nuit

De se coucher et de ne pas se relever

Ce sac de couchage ne va que pour deux

ED

En se serrant il ira pour trois

On a intérêt à être serrés

Le plus important c'est les pieds

BESS

Mais notre maison est si pleine de ces choses de tous
ces pays

Et maintenant que Bob n'est plus là

SUE

Bess je reste avec vous

Je vous raconterai les histoires des paysans du Chiapas
j'avais une cassette avec moi

J'ai enregistré ces légendes de la bouche d'un vieux
chef maya

BESS

Et qui sait ?

Je téléphonerai à Randy Sheffields qu'il vienne voir la
collection

SUE

Il riait aux éclats

En m'expliquant la naissance du monde

Par le trou du cul d'une souris

Plus tard j'ai appris

Qu'il s'était moqué de moi

BESS

Je lui proposerai une donation

Au mois de juin ils ont inauguré un département ethno-
logique et c'est grâce à toutes les petites sommes que
Pat a récoltées

Pour ouvrir le porte-monnaie des gens cette fille était infatigable

Naturellement au musée des Beaux-Arts de Seattle ils sont surtout spécialisés dans les Indiens du Nord-Ouest

Mais ils pourraient ouvrir une salle qui porterait le nom de Bob la salle Robert-Lamb

La nuit commence à tomber. Les uns après les autres regagneront la cabine.

Je n'ai pas peur de rester seule Sue

J'ai tant à penser

Et puis il y a tant à faire ici les journées passeront vite

Comment dire ? Je n'ai plus l'impression ici d'attendre

J'ai l'impression que c'est ici la vie que je suis arrivée

Et maintenant la cabine est vraiment un habitacle on s'y sent à son aise

Ed et Jack ensemble vous allez vous entendre n'est-ce pas pour reprendre la direction de Housies

ED
Ni Jack ni moi

BESS

Mais si vous deux ensemble

ED

Nous n'avons pas plus lui que moi Bess

Ce qu'avait Bob ce côté bondissant

BESS

Eh bien vous achèterez des gens qui bondissent il y a de très bons chasseurs de têtes

Mais il vous revient à vous deux d'assurer la continuité de l'esprit que Bob avait donné à Housies

Je sais que Bob l'aurait voulu ainsi

Et vous téléphonerez à mon jardinier Chris dites-lui de ne pas m'attendre pour la taille

Sue j'ai les plus vieux rosiers de Seattle vous viendrez les voir n'est-ce pas ?

Mon grand-père les a plantés il n'avait pas seize ans et quand plus tard Franklin Roosevelt l'a fait venir à Washington comme secrétaire à l'Agriculture le scandale que ça a fait ma famille qui depuis des siècles votait républicain

Tout me semble naturel aujourd'hui

SUE
Les condors sont repartis

ED
Ils avaient mieux à faire ailleurs

BESS
Pauvre Nan

JACK
Oui

Dick et Nan leur ont offert un menu royal

Housies se passera de moi Bess

Je ne retournerai pas à Housies il faut décider

Qui part avec moi demain matin

Ed ? Sue ?

SUE
Ed

ED
Sue

BESS

Ed et Sue

Vous partez tous les trois

ED

Vous ne retournez pas à Housies ? C'est une plaisante-
rie Jack ?

Pour les pieds

Ce qu'il faut c'est intercaler de la graisse

Une bonne couche de graisse entre les chaussures et les
chaussettes

J'ai fait un essai la graisse prélevée sous la peau fait un
bon isolant

JACK

Mieux des chaussettes faites avec la peau elle-même

On prélève la peau d'un avant-bras complète avec sa
graisse sous-cutanée

Mais il faudrait des avant-bras intacts

Que reste-t-il comme bras ?

Et les passeports ne pas oublier les passeports

Entre Housies et moi la séparation s'est faite

Ça s'est fait tout d'un coup cette nuit

Constitution d'une pile de petit matériel à emporter.
Emballage des sacs.

Housies et moi on se quitte Sue

Je veux vivre autrement

SUE
Et pour faire quoi ?

Housies est dans tes fibres

JACK
Ma canne

Avec la petite lanière pour tenir au poignet

SUE
Et les lunettes

Je ne te crois pas

JACK
Pour vivre pas besoin de Housies

Housies c'est fini

SUE
Qu'est-ce que tu feras ?

Quelle hauteur crois-tu qu'elle a

Cette montagne ?

JACK
Je ne sais pas

BESS
Mon Dieu Jack je ne vous crois pas moi non plus

Et n'oubliez pas de dire à Nickie

SUE
Quand tu seras de l'autre côté de la montagne

Quand tu seras à table chez Nickie

ED
Quatre mille six cent huit mètres pour autant que ça
soit celle-ci

Mais les cartes aéronautiques sont indéchiffrables

Si c'est celle-ci

SUE
Un croissant de lune

ED
Oui la journée sera belle

JACK
On a intérêt à partir tôt

Avant que la neige ait dégelé

Il y a cette longue traversée à faire

Jusqu'au pied

ED
Du mont Iquiquerica si c'est lui

JACK
Pour ma bar-mitsvah j'ai reçu

Un timbre de l'île Maurice il valait trois mille dollars

Il en vaut cent cinquante mille aujourd'hui

On pourra partir avec ça

SUE

Partir ? Mais où ?

JACK

Qu'est-ce que tu as là ?

SUE

Une vieille cicatrice

JACK

Demain matin qu'est-ce que tu fais ? Nous partons tous
les trois ?

SUE

Je ne sais pas encore

Je ne te reconnais pas Jack je commence à croire

BESS

Je veux que vous ne vous inquiétiez pas de moi

SUE

Alors dormons

ED

La nuit pour réfléchir Sue ?

Ils se sont étendus, emmitouflés, serrés tête-bêche les uns contre les autres. Ils s'endorment. Noir. Et puis un bruit sourd et prolongé qui s'amplifie : l'avalanche. Un très long silence.

SUE

Jack

ED

Sue

SUE

Oui.

ED

Bess

SUE

Ed

ED

Oui

Jack

SUE

Bess

Jack

ED
Bess

SEPT

*Sept jours après. La cabine est presque entièrement
remplie de neige à part un espace étroit qui a été creusé
pour servir de logement. Un passage dans la neige a
aussi été creusé entre le logement et l'extérieur. On voit
le reste du mur de valises qui s'est écroulé. Le fuselage
est enseveli sous une épaisse couche de neige. Sue dort.
Ed est assis et écrit. Sue se réveille.*

SUE

J'ai froid

Comment pouvez-vous écrire ?

Vous n'avez pas froid aux doigts ?

Réchauffez-moi

*Ed et Sue se réchauffent l'un l'autre en se tenant serrés
et au moyen de tapes, de massages.*

Qu'est-ce que vous écrivez ?

ED

Une chronique

Ce qui s'est passé

Que les gens sachent

SUE

Quels gens ?

ED

Le monde entier

Tous les deux on va signer

SUE

Et l'enrouler

Mettre le rouleau dans une bouteille

ED

Quelqu'un finira un jour

Ici par tomber dessus

Alors ils trouveront aussi cette lettre à mon frère

SUE

Ils feront suivre

Milwaukee ? C'est là qu'il habite ?

ED

C'est mon aîné il est chauffeur de taxi à Milwaukee

Lui et moi on ne s'est jamais écrit

Vous

Vous n'avez pas envie d'écrire à Danny ?

A Noël chaque année je lui envoyais un chèque et c'est
sa femme Millie qui me répondait

Et toujours de la même façon "cher Ed merci pour ton
chèque qui tombe au bon moment Millie"

SUE

Oh cette nuit j'ai dormi comme une souche

ED

Oui

Je vous regardais pendant que j'écrivais

SUE

Vous avez planché toute la nuit ?

Là ce matin je me sens bien

C'est la première nuit depuis l'avalanche sans que je
me réveille plusieurs fois en sursaut avec ce bruit dans
les oreilles

ED
Et sans crier

SUE
Je criais ?

ED
Plutôt

SUE
Alors vous avez tout raconté de ce qui nous est arrivé ?

Je n'aurais jamais su faire ça

Lisez

ED *(lisant)*
"Afin que la vérité soit connue un jour de la postérité,
moi, Edward MacCoy, senior vice-président de Housies
pour l'administration et les finances, et moi Susan Beaver, nous vous informons par la présente de tout ce qui
s'est passé depuis l'accident survenu le 13 octobre.

217

Le pilote William Gladstone est décédé sur le coup à son poste de commande, le vice-président Joseph di Santo aussi est décédé le jour même après avoir été éjecté de l'appareil quand celui-ci a heurté la montagne et s'est séparé en plusieurs morceaux, quelques secondes avant que la cabine s'écrase avec tous ses autres occupants.

Le copilote James King, grièvement blessé au moment de l'impact, est décédé le onzième jour sans avoir pu être dégagé du poste de commande. Patricia Fielding, la secrétaire du président, a eu les jambes broyées dans l'accident et la gangrène s'est installée. Elle est décédée le quinzième jour.

Le président de Housies, Robert Lamb, est décédé le vingtième jour après l'accident des suites d'une blessure qu'il avait reçue dans le dos lors de la chute de l'appareil et apparemment d'une défaillance cardiaque. Nancy di Santo, fille du vice-président Joseph di Santo, et le senior vice-président Richard Sutton sont décédés à une date indéterminée après le vingt-sixième jour, au cours d'une expédition pour chercher du secours.

Elizabeth Lamb, épouse du président, et le senior vice-président Jack Hirschfeld sont décédés dans la nuit du trente-cinquième au trente-sixième jour, étouffés par la neige qui a rempli la cabine suite à une avalanche.

La présente est écrite et signée par les deux passagers qui survivent en ce matin du quarante-deuxième jour et qui sont sur le point de quitter le lieu de l'accident pour tenter de rejoindre un lieu habité."

SUE

Mais Ed

ED

Quoi ?

SUE

Je ne peux pas signer ça

ED

Mais pourquoi ?

SUE

Je ne peux pas c'est tout

Je ne peux pas vous dire

ED

Si vous ne signez pas

Ils n'y ajouteront pas foi

SUE

Et quelle importance tout ça ?

Vite préparons-nous à partir

Vous ne sortez jamais ?

ED

Comment ?

SUE

A Seattle

ED

Rarement

SUE

Mais habituellement

Que faites-vous le soir chez vous quand vous rentrez ?

ED

Je lis le *Wall Street Journal* et tout le reste de la presse
économique

*Forbes Fortune Business Week World Affairs Manage-
ment Today The Financial Gazette International Trade*

Il faut beaucoup de temps pour se tenir au courant tant
de choses se passent à la fois de tous les côtés

Les études de fond dans la *Harvard Business Review*
ne peuvent pas se parcourir de façon distraite

Je découpe et je classe les articles qui arrêtent mon
attention plus particulièrement

SUE

Et puis vous vous couchez ?

Ed tout d'un coup je suis prise pour vous d'une intense
curiosité

Je vous préviens tout va y passer

Combien gagnez-vous ?

ED

Mais

SUE

Combien ?

ED

Cent dix mille

SUE

Mister Lamb se faisait combien ?

ED

Trois cent quatre-vingts

SUE

En devenant président votre salaire va plus que tripler

Oh Ed je me demande

ED
Quoi ?

SUE
Devinez

ED
Ce n'est pas mon fort

SUE
Je me demande si je ne vais pas vous épouser

Quand on est le président de Housies on a besoin d'une épouse

Une présence à votre côté qui vous rassure et vous détende

Les secousses sont incessantes les batailles sont âpres

Bess était merveilleuse et je suis sûre qu'elle recevait à la perfection

De belles nappes le service de porcelaine l'argenterie

Avec doigté et simplicité

ED

Vous me surprenez Sue

SUE

Mais vous ne dites pas non ?

Si je vous épouse Ed

Quelle ivresse le dimanche nous irons à la messe vous êtes catholique n'est-ce pas ?

Vous tiendrez Danny par la main vous lui direz de se taire pendant le service et de ne pas se toucher

Danny pourra jouer au tennis au Benjamin Franklin Country Club

Si je vous épouse le seul risque c'est que je me taille avec la caisse

Tourneboulée par vos dollars

Je suis une personne qui résiste mal à un billet de cent dollars tout de suite les battements de mon cœur se précipitent

Et Danny n'aime pas voir sa maman avec un monsieur qui fait sérieux comme vous

Quel dommage

Parce que vous me plaisez Ed

Je vous trouve si drôle

ED

C'est la première fois qu'une femme me dit ça

Je n'ai pas de facilité avec les femmes

SUE

Vous leur plaisez parce que vous êtes une forteresse

Vous avez plu à Pat ne me dites pas que Pat ne courait qu'après vos dollars

ED

Elle a forcé la porte

SUE

A moi d'entrer dedans

Frottez-moi les pieds Ed encore

C'est bon ce que vous me faites là

Du reste je vous conviens mieux que Pat

Elle était trop dynamique pour vous elle vous aurait mené par le bout du nez

Comment était votre femme Ed ?

ED

Sylvia aussi était très dynamique

Sue vous avez une fausse impression de moi

Sylvia était dynamique mais c'est moi qui tenais les commandes

Dans le département financier de Housies je suis connu sous le nom de Bulldozer Ed mes collaborateurs jusqu'aux cadres subalternes se plaignent qu'il n'y a jamais aucun répit je bouscule tout sur mon passage j'exige que chacun aille au-delà de ses limites

Se surpasse

Et si je prends la présidence Sue vous pouvez être assurée que ça va cravacher

J'en connais qui devront se réveiller d'un sommeil de plusieurs années sinon ils devront s'en aller

SUE

En dormant ?

ED

S'il faut les pousser

Bob faisait beaucoup de bruit mais il laissait ronronner

SUE

Bob ne vous aimait pas

ED

Qu'importe

Il avait besoin de moi

SUE

Dès l'embarquement j'ai senti chez lui à votre égard

Une si vive antipathie

ED

Parce que c'était un homme de sentiment

Il aimait ses créatures à lui

Les hommes qu'il avait faits

C'est naturel

Au départ ils étaient trois Tenenbaum Green et Lamb

Green et Lamb ont éliminé Tenenbaum le fondateur celui qui avait eu l'idée

Ensuite ça a été le duel à mort entre Green et Lamb Green était le technicien Lamb était le vendeur

Moi j'étais un homme de Green son assistant l'homme à tout faire son plus proche confident

Green a pensé se débarrasser de Lamb en le laissant s'embarquer dans le projet Europe Green a cru que Lamb allait s'enliser en Europe Lamb a ouvert l'Europe il a éliminé Green

SUE

C'est comme ça que ça se passe ?

Pauvre Tenenbaum

Pauvre Green

Et vous êtes resté ?

ED

Il fallait manger

Sylvia venait de tomber malade et tous ces médicaments coûtaient si cher

Lamb a tout fait pour me dégoûter il m'a retiré mon poste de vice-président il m'a remisé dans un poste subalterne ça a été la traversée du désert

Ma chance est revenue après Watergate il y a eu un vent de folie Carter s'est mis dans l'idée de moraliser le monde des affaires

Lamb avait distribué en cinq ans cent dix-huit millions de dollars à des hommes d'Etat dans différents pays pour aider à la négociation des contrats

Il s'est rappelé que j'étais là il fallait expliquer les comptes à ces enquêteurs du secrétariat à la Justice

Lamb pouvait être content du résultat non seulement j'ai retrouvé ma position de vice-président mais encore la haute main m'a été donnée sur les finances et l'administration avec le titre de senior vice-président

SUE

Je pense à ce malheureux Tenenbaum

ED

Ah Tenenbaum était un homme confiant

SUE

Et l'infortuné Green ?

ED

C'était un Don Quichotte j'étais son Sancho Pança

SUE

Vous êtes un homme patient

ED

Et loyal

Bob Lamb à la fin a dû se rendre compte de cela

SUE

Je suis si contente Ed

Jack ne me racontait rien

Vous racontez aussi bien

Que mon vieux chef maya

Et Jack dans tout ça ?

ED

Il était à Lamb ce que j'étais à Green

Il s'est trouvé du bon côté

Lamb ne savait rien faire sans Jack

SUE

Par le trou du cul d'une souris

La naissance de Mickey Housies

Son histoire et sa fin

ED

Ce n'est pas la fin Sue

Ça ne peut pas s'arrêter

Il faut continuer

Bob n'entendait pas grand-chose à la gestion mais c'était un authentique visionnaire

Assis dans son bureau à Seattle au cinquante-neuvième étage il voyait

Il voyait de ses yeux il voyait dans le monde entier toutes ces petites habitations monter du sol

Une fois passées les pelleteuses

Une fois enlevés les débris des taudis au milieu des grandes villes et sur leur pourtour

Il voyait au-dessus de la porte les trois traits formant un H majuscule le symbole d'une vie plus digne pour des millions de gens

Avant tout autre il a vu l'épanouissement de ce continent l'Amérique latine

Le Chili était une terre de misère aujourd'hui on peut parler d'une renaissance le ministre Piñera l'a déclaré

L'ambition du régime est de faire du Chili un pays de petits propriétaires

Grâce aux capitaux étrangers et ils ont promulgué une charte des investissements qui permet d'y aller en pleine confiance

Ne parlons même pas du Brésil mais en Argentine

Vous avez entendu à la radio le général Viola disait encore la semaine dernière que tous les gens qui sont honnêtes ont le droit de vivre mieux

Nous sommes sur la crête de la vague Sue

Je rencontrerai le général Viola je verrai Pinochet

SUE

Ed c'est clair

Vous avez pris la relève

Qu'écrivez-vous à votre frère ?

ED

Qu'il n'est pas certain

D'avoir son chèque à Noël

SUE

Beaucoup dépend de cette montagne

Et de ce qu'il y a derrière

Vous pouvez prendre la canne de Jack avec sa lanière

Aussi sa paire de chaussettes faites main

Il n'y a pas tellement de raisons de s'attarder ici

ED
Le sac de couchage

SUE
Je l'ai dégagé

ED
De quoi manger

SUE
J'en ai mis pour dix jours

C'est tout ce que nous pouvons porter

ED
Les lunettes

SUE
Sont prêtes

Et le briquet pour se chauffer les doigts

On y va ?

ED
Sue vous étiez sérieuse

Quand vous avez parlé de m'épouser ?

SUE
J'étais sérieuse en parlant des dollars

Ils me brûleraient les doigts

ED
J'ai une faveur à vous demander

Si je suis pris de vertige

SUE
Fermez les yeux

Tenez-vous à moi

ED
Vous permettez ?

SUE
Donnons l'assaut

233

Mettez vos pas dans mes pas

Ils se chaussent, s'habillent, se chargent, quittent la cabine, accèdent à l'extérieur. On les voit, de dos, qui lentement s'éloignent et disparaissent.

FIN

POSTFACE

MICHEL VINAVER METTEUR EN SCÈNE

Entretien avec Evelyne Ertel

ÉVELYNE ERTEL. *Il semble qu'il y ait des renverse-
ments dans votre vie qui échappent à toute délibération.
Ainsi, vous avez souvent déclaré que vous étiez devenu
auteur dramatique "par accident*". En va-t-il de même
concernant votre passage à la mise en scène ?*

MICHEL VINAVER. En tout cas, s'il est une chose dont
j'ai toujours été sûr, c'est que je n'étais pas fait pour la
mise en scène. "Pas fait pour", ce qui, du reste, est un
propos d'Ulysse dans *Les Voisins*. "Pas fait pour**".

E. E. *Depuis toujours ?*

M. V. Depuis que j'ai commencé à écrire pour le théâtre.

E. E. *Cette conviction, sur quoi reposait-elle ?*

M. V. Sur mon absence d'imagination de la scène quand
j'écris. Je ne vois pas l'espace, ni les personnages, encore
moins les déplacements, les gestes. En fait je ne vois rien.

---

* Notamment dans un entretien avec Jean-Loup Rivière, datant de
1987, reproduit dans *Ecrits sur le théâtre 2*, L'Arche, 1998, p. 91 :
"Le passage au théâtre, ou à l'écriture théâtrale, n'a pas eu à se faire.
Ce qu'il a fallu, c'est qu'il y ait eu un accident qui le provoque, un
accident extérieur, une commande…"
** Michel Vinaver, *Théâtre complet 5*, Actes Sud, 2002, p. 261-262.

E. E. *Tout est dans l'écoute ?*

M. V. Non plus. Tout est dans les mots qui s'alignent sur la page. Alors, je dois quand même dire que quand je relis, mon oreille interne sait le son que ça fait, *entend* le tissu sonore, le tempo et ses variations : lent, rapide, tranquille, précipité, etc., les inflexions et les intensités, les pauses et leur longueur ou au contraire l'accolement.

E. E. *Mais vous ne visualisez pas.*

M. V. J'aime beaucoup les images. J'amasse tout le temps des images. J'aime la peinture, les photos de presse. Au fond, je ne comprends pas bien ce "pas fait pour". Il est enraciné profondément en moi. C'est comme un interdit.

E. E. *Il a sauté. A la faveur de quel "accident" ? Pour votre passage à l'écriture théâtrale, l'accident, ç'a été la demande de Gabriel Monnet au jeune romancier que vous étiez de lui fournir une pièce destinée à un stage de comédiens amateurs, et vous avez écrit* Les Coréens. *Pour le passage à la mise en scène, qu'en est-il ?*

M. V. Plutôt qu'un accident, il faudrait évoquer un enchaînement improbable de circonstances. Catherine Anne, directrice du Théâtre de l'Est parisien – elle est aussi auteur et metteur en scène –, a voulu absolument que je conduise un atelier dit de "formation permanente" pour des acteurs professionnels, et comme elle accueillait deux de mes pièces dans son théâtre*, je

---

* *Les Travaux et les Jours*, mise en scène de Robert Cantarella, et *L'Emission de télévision*, mise en scène de René Loyon.

238

n'ai pas eu le front de lui dire non catégoriquement. Quand j'arguais de mon incompétence, elle proposait de m'épauler. Et puis, peu à peu, ma résistance s'amoindrissait, des tentations se faisaient jour…

E. E. *Lesquelles ?*

M. V. Principalement, celle de saisir l'occasion de vérifier certaines hypothèses qui roulaient dans ma tête depuis bien des années sur le mode de mise en scène et de jeu convenant à mes textes. Le stage pourrait porter sur une de mes pièces de mon choix. Je pourrais tester telle ou telle idée sur la façon de s'y prendre et, notamment, sur ce qu'il est bon d'*éviter de faire*, pour que mes pièces, sans encombre, sans obstruction, *passent*. Pour qu'elles atteignent le plus haut degré d'accessibilité. Des idées là-dessus, j'en avais évidemment accumulé. Alors là s'offrait un champ ouvert à toutes les expériences. Sans sanction ni obligation. Je demandai : de quelle durée, le stage ? La moyenne est de trois semaines. Trois semaines ça m'allait bien : le temps d'une ébauche. Dans quel lieu ? Un entrepôt désaffecté aux Lilas, dans la banlieue est de Paris. Ça m'allait bien aussi, ne pas être dans un théâtre. Combien de stagiaires ? Le nombre qui vous paraît bon, me répondait-on, sans limite *a priori*, l'appel à candidatures étant diffusé parmi les intermittents en période de chômage. Présentation publique du résultat ? Facultatif, vous pourrez en décider en cours de route. Je me pris à rêver à un travail sur *A la renverse*, pièce dont j'avais, il y a peu, complété une nouvelle version en vue d'une dramatique radio, plus courte (c'était une contrainte de la chaîne) et pour trois fois plus d'acteurs (les ondes ne craignent pas une grosse distribution) que la version d'origine. Parmi toutes mes pièces, peut-être la plus complexe du point de vue de la polyphonie des thèmes, des populations et des registres de langue. L'accueil à la création* avait été mitigé, malgré les grandes qualités de la mise en scène et du jeu. J'attribuais cette tiédeur à une opacité, et la raison de celle-ci à un parti dramaturgique hésitant. Il aurait fallu, me disais-je, épouser de meilleur cœur le caractère éruptif, abrupt de sa composition. Mais était-elle vraiment jouable ? Je me posais la question fondamentale, oui, de sa "jouabilité". Alors le stage**... Il a débuté par une semaine entière – le tiers de sa durée – à lire, assis en cercle – ce qu'on appelle le travail à la table, mais sans table –, à constituer l'objet de paroles et pour le groupe à se l'approprier. Chacun s'essayant dans chaque rôle. Il y a eu des remous quand j'ai voulu procéder à une distribution. J'ai demandé aux participants de remplir un questionnaire : quels rôles choisiraient-ils en premier, deuxième et troisième choix. Mais ils voulaient – telle est l'attente dans ces ateliers – déambuler jusqu'au bout d'un emploi à l'autre. J'ai fait prévaloir la nécessité d'une stabilisation de la distribution, faute de quoi ni forme ni sens n'émergeraient du chaos. Il n'y a plus eu de cas de fronde, mais au contraire une adhésion, un engagement collectif de grande intensité, autour de Catherine Anne et de moi-même.

E. E. *Avez-vous, vous-même, donné lecture de la pièce à haute voix ?*

* Au Théâtre national de Chaillot, mise en scène de Jacques Lassalle, 1980.
** Organisé par Chantiers nomades, il s'est déroulé du 15 mars au 5 avril 2004.

M. V. Oui, d'entrée de jeu, et cette lecture a servi d'empreinte pour tout le travail qui a suivi. A la table puis dans l'espace. Quand nous sommes passés dans l'espace, les propositions les plus diverses des acteurs recevaient bon accueil, pour peu qu'elles se concilient avec le rythme de l'objet sonore, donné en premier et comme premier.

E. E. *Vous n'aviez aucune idée préconçue de l'espace ?*

M. V. Si ! Je voulais que la scène soit un rond et que les spectateurs, virtuels ou réels, entourent le rond. Je voulais une table carrée au centre du rond et je voulais trois praticables rectangulaires identiques disposés en étoile, chacun équipé d'un banc identique.

E. E. *Du non-figuratif. Plutôt un outil qu'un décor. Vous n'avez pas jugé nécessaire de suggérer un espace de bureaux. Mais il y avait un élément concret : une fontaine d'eau avec un distributeur de gobelets.*

M. V. A la périphérie du cercle, oui. Une adjonction essentielle : point d'attraction pour la population des cadres, s'agglutinant là puis se dispersant et vibrionnant.

E. E. *Comment avez-vous travaillé ?*

M. V. Beaucoup en effaçant. J'ai beaucoup effacé. Quand un comédien mettait de l'expression dans sa réplique, ou de l'intention, je lui demandais de reprendre en se concentrant sur le rythme juste sans se soucier du reste. Le rythme n'est pas quelque chose de mécanique, n'est pas reproductible en tant que tel. A partir de son appréhension de ma "partition", il revient au comédien de s'approprier les mots dans son système digestif à lui, dans le souffle qui lui est propre, jusqu'à ce que cela débouche, en lui et chez ceux qui l'écoutent, sur une évidence. *Ça devient courant. Voilà. C'est ça.*

E. E. *Le naturel ?*

M. V. On peut l'appeler ainsi. Mais on sait que ce naturel n'est pas au rendez-vous de départ. Il est la récompense à l'arrivée. Si on y arrive. Je me souviens par exemple du travail avec Isabelle Antoine et Philippe Durand sur les scènes Princesse-Journaliste. Ce qu'ils faisaient sur leur petit banc ne marchait pas du tout : je n'entendais rien, je n'y comprenais rien. Je les ai pris à part, je les ai fait travailler sur l'énonciation, sur la prosodie et c'est peu à peu, à partir de ce travail, que le sens est sorti et les personnages aussi. Il n'y a pas eu de discussion pour savoir quelles idées les personnages avaient en tête quand ils disaient telle ou telle réplique. C'est venu à partir du travail sur la matière verbale. Il fallait une impassibilité ou une inexpressivité de base (ne pas se soucier d'être intéressant), avec une décharge d'énergie dans l'instant présent de l'action. Sachant que la parole *est* action.

E. E. *Il me semble que là vous êtes très proche de ce que Jouvet réclamait de ses acteurs et qu'il a répété sous maintes formes. Je cite, par exemple : "Il faut trouver le rythme, la* respiration… *Le point de départ de l'expression est dans ce phénomène premier : la respiration, l'*articulation." *Ou encore ceci :* "L'acteur commence toujours trop tôt par le sentiment. *Tout n'est d'abord que physique. Le texte est d'abord un indice, un graphique respiratoire où sont liées la* diction, l'articulation*…"

---

* Louis Jouvet, *Le Comédien désincarné*, Flammarion, 1954. Les expressions et mots en italique étaient ceux soulignés par L. J.

M. V. Oui.

E. E. *Pensez-vous que la scène en rond contribue à ce "naturel" ?*

M. V. Le rond, c'est l'indéterminé : l'acteur ne sait pas ce qu'on voit de lui ; il sait que ce que le spectateur voit de lui dépend du hasard de son placement, diffère de ce que voit tout autre spectateur. Cette indétermination fait culbuter l'échelle hiérarchique de ce qui est avantageux pour l'acteur. Son dos vaut sa face. Sa face ne vaut pas plus que son dos. Tout point de la surface de jeu a même valeur. L'acteur peut plus librement se soucier du *c'est ça* de son geste, de son déplacement, de la parole qu'il prononce.

E. E. *Le rond est juste par rapport à votre écriture, qui déhiérarchise. Le trivial a même valeur que l'important, l'infime que le grand.*

M. V. Oui. Et le rond est facteur de proximité. Il permet les gros plans. Dans un rond, on ne projette pas la voix. Rien que cela, s'agissant de mes textes, c'est déterminant. J'ai eu la chance que ma première pièce, *Les Coréens*, dans la mise en scène de Jean-Marie Serreau, peu après sa création, soit reprise au Théâtre en rond. Elle y a trouvé son site idéal. Le rond, c'est le monde avant l'histoire. C'est le chaos originel.

E. E. *Et c'est une forme parfaite.*

M. V. Pas besoin de machinerie. Pas d'illusion théâtrale puisqu'on voit le public dans la transparence des acteurs. D'une certaine façon, c'est le non-spectacle. Je n'aime pas ce mot, "spectacle".

E. E. *Alors, comment procédez-vous ? Vous tracez une circonférence ? A la craie ?*

M. V. Oui.

E. E. *A l'intérieur de ce cercle, vous avez deux semaines devant vous et tout est à faire.*

M. V. Oui. Quelques jours avant la clôture, j'ai consulté les acteurs : souhaitaient-ils qu'on invite un public à voir notre esquisse de mise en scène ? Ils ont dit que oui, et que ce n'était pas une esquisse, que c'était *la* mise en scène. Les deux derniers soirs du stage, présentation du travail. Viennent y assister, prenant position autour du rond, les proches, des connaissances et quelques professionnels, dont Robert Cantarella, directeur du Centre dramatique national Dijon-Bourgogne et du festival Frictions, d'une part, et Françoise Spiess, fondatrice du festival Vingt scènes à Vincennes, d'autre part. L'un et l'autre proposent d'inscrire cette pièce, dans cette mise en scène, telle quelle, au programme de leurs festivals respectifs*. Ce qui était au rang de l'imprévisible passe au rang de l'improbable lorsque Anne-Marie Lazarini et Dominique Bourde, codirectrices du Théâtre Artistic Athévains à Paris, au sortir d'une des représentations à Vincennes, proposent de programmer cet objet en quelque sorte sommaire, rudimentaire, dans leur saison de l'année suivante pour un minimum de trente représentations. C'est parti, et vu l'accueil extrordinairement positif de la critique et du public, il y aura deux prolongations**, portant le nombre total des représentations à plus de soixante.

E. E. *C'était l'an trois de cette aventure reliant entre eux et avec vous ces mêmes vingt comédiens qui ont*

---

* Deux représentations au festival Vingt scènes les 21 et 22 mai 2005, et deux représentations au festival Frictions le 28 mai 2005.
** Le spectacle s'y sera joué du 3 avril au 30 mai 2006.

constitué ainsi comme une troupe ad hoc. *Ils se sont donné un nom : les Renversants.*

M. V. L'aventure ne s'est pas arrêtée là puisque Jean-Louis Martinelli, directeur du Théâtre Nanterre-Amandiers, m'a demandé si je monterais chez lui, dans la foulée, et dans la même économie – très peu de temps de répétitions, un financement infime –, donc dans une démarche similaire d'ébauche, mais pour cinq représentations seulement*, une autre de mes pièces "symphoniques" avec la même troupe. Il pensait à *Par-dessus bord*. J'ai dit que non pour ce qui était de *Par-dessus bord*, en raison du fait qu'elle allait être montée prochainement pour la première fois en France dans sa version intégrale par Christian Schiaretti, mais j'ai proposé en revanche *Iphigénie Hôtel*, pièce parfaitement calibrée pour l'emploi de vingt acteurs, et qui n'avait pas été reprise en région parisienne depuis sa création par Antoine Vitez au centre Georges-Pompidou en 1977 (l'œuvre datant de 1959). Accord de Martinelli. Accord des Renversants. Accord de Gilone Brun, scénographe et metteur en scène, que je connaissais de longue date, et à qui j'ai proposé que nous œuvrions ensemble sur ce projet.

E. E. *Après tout, vous auriez pu refuser. Les conditions proposées étaient rudes, et n'aviez-vous pas, avec* A la renverse, *pleinement rempli votre objectif qui était, disiez-vous, de vérifier certaines hypothèses ? A moins que, ce faisant, vous n'ayez attrapé le virus de la mise en scène ?*

M. V. Ah non !

* Du 6 au 10 juin 2006.

E. E. *Ou, pour dire les choses autrement, l'interdit étant tombé, vous y auriez pris goût…*

M. V. La possibilité de faire une deuxième vérification, sur une autre pièce avec les mêmes acteurs… La tentation évidemment était grande. Le résultat, même probant, d'une expérience, si elle est unique, reste sujet à caution…

E. E. *Avouez une autre motivation : la perspective ludique de rebattre les cartes avec ces mêmes vingt acteurs dans une tout autre configuration de personnages. Il vous a fallu, par exemple, faire jouer des personnages féminins par des hommes, ce qui n'a pas manqué de sel. Et distribuer quatre acteurs dans des rôles muets.*

M. V. Sur la question des rôles muets, nous pourrons revenir. Mais je voudrais d'abord réinterroger l'intérêt puissant que j'ai trouvé à faire porter cette deuxième vérification sur cette pièce en particulier, *Iphigénie Hôtel*. Là, il ne s'agissait plus de tester l'accessibilité de l'œuvre et la façon de l'assurer. Mais traînait en moi depuis trente ans la conviction que la mise en scène de Vitez, à tant d'égards admirable, géniale même, avait dévissé sur des points cruciaux et que le sens de la pièce en avait été faussé. Je le lui avais écrit. Il m'avait fait part de son désir de remonter la pièce. Puis il est mort.

E. E. *Quel bilan tirez-vous de cette deuxième épreuve ?*

M. V. Le redressement du sens a pu être opéré. Cela, je n'en doutais pas. Dans la version vitézienne, la prise du pouvoir dans l'hôtel par Alain (que jouait Alain Olivier) apparaissait comme programmée, inéluctable, relevant d'une nécessité historique – ce qui fait que dans la représentation les événements semblaient joués d'avance, comme dans une tragédie. La correction a consisté dans l'injection d'une dose d'indétermination, de contingence, dans le parcours d'Alain, dont le caractère lui-même se dotait de facettes contradictoires, et de même le rôle de Pierrette (incarnée par Dominique Valadié à la création) devenait moins univoque, avec pour conséquence que l'instant présent, dans la représentation, lourd de tous les possibles, prenait le pas sur le déroulé d'une fable. Mais l'essentiel de la vérification pour moi, avec l'aide qui a été déterminante de Gilone Brun, a porté sur la non-segmentation radicale de l'aire de jeu, autrement dit sur l'option de *tout jouer dans tout l'espace* – les scènes dans la chambre des deux femmes de chambre, dans la chambre d'Oreste, les scènes dans le hall de l'hôtel, dans l'office –, et ce avec une extrême économie de moyens (mobilier, accessoires, lumières), sans courir le risque d'un déficit de repères pour le spectateur. Or il s'est avéré que celui-ci s'y retrouvait et gagnait en prime le plaisir de compléter la topographie par l'exercice de son imagination. Le *c'est ça* de la scénographie aidait à celui du jeu, à telle enseigne que la représentation s'est faite courante comme je le souhaitais*.

E. E. *Et sans redondances entre ce qui est offert au regard et ce qui est donné dans la parole.*

M. V. C'est une ligne directrice qui est pour moi capitale. C'est presque une consigne. On évite la saturation. On gagne en fluidité.

* Voir *Théâtre/Public* n° 188 (2008) pour un cahier-photos sur ces deux mises en scène.

E. E. *Les rôles muets, eux, me semblent avoir apporté un gain de densité.*

M. V. Le professeur Babcock, par sa privation de parole, raconte beaucoup de choses que les mots ne sauraient aussi fortement exprimer. Sur l'état du monde. Sur l'abîme où court le monde depuis la grande époque des Atrides. Et ce n'était déjà pas très brillant. Mais au moins les crimes avaient un sens. Une densité temporelle, aussi, advient par la présence silencieuse des trois employés grecs de l'hôtel – Patrocle le muletier, Diomède (ex-Aphrodite, il y avait un excédent d'hommes parmi les Renversants) et Polydamas (ex-Théodora, *idem*), les serveuses devenues serveurs, transparents puisque colonisés, invisibles, mais eux voient et on les voit qui voient, comme divins, émanations des montagnes sacrées surplombant la Citadelle. Rôles difficiles, que nous n'avons pu qu'esquisser.

E. E. *Il y a une constante, à partir du stage aux Lilas jusqu'à Nanterre-Amandiers en passant par Dijon, Vincennes puis les Athévains, c'est la persistance, sinon du rond, du moins de l'idée du rond.*

M. V. Le rond a pu s'étirer, devenir un ovale, comme aux Athévains, où nous avons pu obtenir un dispositif quadrifrontal. Le rond n'était pas tracé mais s'inscrivait virtuellement dans le carré où nous jouions aux Amandiers avec des gradins sur les quatre côtés.

E. E. *Vous ne l'aurez pas, ce rond, à la Comédie-Française, où vous préparez une troisième mise en scène d'une de vos pièces,* L'Ordinaire.

M. V. Je ne l'aurai pas, mais mon projet consistait, jusqu'à récemment, à installer un plateau rond et fortement pentu sur le sol de la scène, salle Richelieu. Nous l'appelions la Soucoupe. Je ne le ferai pas parce que, entre-temps, il s'avère qu'il est possible de se rapprocher encore davantage, sinon du rond, du moins de sa fonction, sur ce site. Muriel Mayette avait conscience du problème que pose l'architecture scène-salle existante pour le théâtre contemporain, et a non seulement permis mais encouragé la recherche de scénographies comportant un proscenium qui vient mordre sur l'espace des spectateurs. Qui casse le cadre traditionnel. Au prix de la perte de quelques rangs de fauteuils. Gilone Brun et moi travaillons sur cette base actuellement. Nous assurerons la mise en scène conjointement, elle se chargeant en plus de la scénographie et des costumes.

E. E. *J'hésite à vous poser la question. Fallait-il une troisième vérification ?*

M. V. La Comédie-Française est une maison qui appartient à ses acteurs. Les metteurs en scène sont leurs invités. Des oiseaux de passage. Il m'a semblé, ayant été pressenti comme auteur pour une inscription au répertoire, qu'il serait bon que ne s'ajoute pas, si possible, un intermédiaire.

E. E. *J'insiste. Y voyez-vous le moyen d'une troisième vérification ?*

M. V. Evidemment. Les conditions étant, à tous les points de vue, à l'opposé de celles, marginales à l'extrême, de mes expériences précédentes, la confirmation de mes idées se renouvellera-t-elle ? Le risque est autrement grand. Mais pouvais-je ne pas le prendre ?

E. E. *Est-ce vous qui avez choisi* L'Ordinaire *?*

M. V. Muriel Mayette, l'administrateur général, m'a demandé quelle pièce aurait ma préférence. J'ai nommé ce titre. Elle l'a approuvé. Le Comité, qui est l'instance décisionnaire, l'a agréé.

E. E. *Vos raisons ?*

M. V. C'est plutôt un feeling. Il fallait une œuvre qui résiste, comme les rescapés du crash ont résisté. Qui ne soit pas facilement absorbable, comme ne l'est pas facilement la viande humaine par les rescapés. Qui soit génératrice de vie, et je crois que *L'Ordinaire* l'est.

E. E. *Il y a quand même un détail curieux. Vous qui, à l'orée de cet entretien, affirmiez que vous vous êtes toujours considéré "pas fait pour" la mise en scène sembliez avoir oublié que vous étiez à l'affiche non seulement comme auteur mais comme cometteur en scène, avec Alain Françon, de* L'Ordinaire *précisément, à sa création au Théâtre national de Chaillot, en 1983…*

M. V. Oublié, pas tout à fait. Mais ce n'est pas un de nos meilleurs souvenirs, à Françon et à moi. Nous sommes d'accord pour penser que nous nous sommes trompés sur la scénographie, avec des conséquences incontrôlables sur le jeu. D'autre part, alors que Françon avait souhaité cet attelage avec moi, dans les faits l'interdit a joué : passé la phase initiale du travail à la table, je ne suis à peu près pas intervenu. Cela étant, il y a quand même eu du merveilleux à la pelle dans cette production.

E. E. *Vous remarquerez néanmoins une continuité étrange dans la chaîne de ces trois pièces : elles ont toutes les trois le parfum d'un rattrapage.*

M. V. Ou d'une revanche, c'est vrai. Faut-il s'en étonner ?

E. E. *Je ne dis pas.*

M. V. Et puis… La vérification porte sur l'adéquation de la mise en scène à la pièce telle qu'elle est écrite. Mais elle porte tout autant, naturellement, sur les éventuels défauts ou faiblesses de la pièce elle-même. Sur sa "jouabilité".

E. E. *Je veux bien. Mais sans doute aussi sur l'orientation donnée au jeu. Vous avez défini vos pièces par la notion de "constitution d'un paysage", que vous opposez à celle de "construction d'une machine" avec "agencement de rouages*", enchaînement de type fatal, de cause à effet, qui définit le théâtre traditionnel. En même temps, vous disiez souvent à vos comédiens pendant les répétitions : "Ne creusez pas les reliefs." Or je me dis que les reliefs font partie des paysages. A ne pas vouloir les creuser, est-ce qu'on ne risque pas la platitude, donc l'ennui ?*

M. V. Je dis "Ne creusez pas les reliefs" pour que les reliefs apparaissent. C'est dans la mesure où l'acteur ne cherche pas à les intégrer dans son jeu qu'ils vont apparaître.

E. E. *Vous n'êtes donc pas contre les reliefs ?*

M. V. Bien au contraire. Même si je pars de la platitude comme matériau, tout le travail aussi bien d'écriture que de mise en scène et de direction d'acteurs consiste à faire apparaître les reliefs, c'est-à-dire les aspérités, les rugosités. Ce qui revient à dire qu'une pièce-paysage est en fait constituée d'un très grand nombre de "micromachines", parce que chaque rugosité, c'est une action, et chaque action, si minime soit-elle, c'est quand même une machine.

* *Ecrits sur le théâtre 2*, L'Arche, 1998, p. 96.

E. E. *Votre théâtre n'évacue donc pas complètement la causalité ?*

M. V. Non. La contingence de l'action d'ensemble provient de la multiplicité des petites machines agglomérées dans le désordre. Il n'est pas attendu de l'acteur, bien au contraire, qu'il mette en avant, qu'il expose, le fonctionnement des petites machines.

E. E. *Ce que vous essayez d'éviter donc, c'est l'effet de théâtre souligné ?*

M. V. Ce n'est pas que j'essaie de l'éviter, c'est que les effets de théâtre, dans le sens qu'on donne habituellement à cette expression, ont pour conséquence d'aplatir et de créer l'ennui. C'est paradoxal : plus on en fait, moins ça passe.

E. E. *Et vous pensez que moins on en fait, plus ça passe ?*

M. V. Ah ! oui.

E. E. *Mais il me semble que votre écriture est faite de quantité de petits effets – décalages, ironies, petites "déflagrations" …*

M. V. Cela dépend de ce qu'on entend par "effets". Les effets que j'accueille dans la représentation, ce sont tous ceux qui ont à voir avec les connexions, aussi bien dans ce qui est dit que dans les mouvements dans l'espace. Par exemple, quand un personnage se trouve presque à toucher un autre personnage alors que, dans les faits, il est dans un autre espace et dans une autre situation, mais que leurs propos entrent en résonance cependant. Il y a, oui, des effets de ce type-là, que j'appelle des effets de connexion. Mais ce qui est banni, ce sont les effets pour appuyer une intention, parce que ceux-là aplatissent tout.

E. E. *D'après les comptes rendus de répétitions qu'ont fait deux comédiennes, vous insistiez beaucoup au cours du travail sur l'idée de "gaieté diffuse" dans la mise en scène. Pourriez-vous l'expliquer précisément, sachant que celle-ci ne se confond pas avec l'ironie ?*

M. V. J'associe gaieté à légèreté dans la mise en scène : légèreté, fluidité, gaieté. Mais cela a aussi à voir avec la gaieté de l'activité théâtrale elle-même. Pour qu'il y ait cette gaieté, il faut éviter tout appesantissement. Les pièces racontent des choses qui ne sont pas nécessairement gaies. Mais il peut y avoir une gaieté dans leur façon d'être appréhendées.

Entretien réalisé le 25 février 2008

TABLE

BABEL

Extrait du catalogue

Achevé d'imprimer en juillet 2014 par par Normandie Roto Impression s.a.s.
61250 Lonrai sur papier fabriqué à partir de bois provenant de forêts
gérées durablement pour le compte d'ACTES SUD, Le Méjan, Place
Nina-Berberova, 13200 Arles. Dépôt légal 1re édition : janvier 2009.
N° impr. : 1402738
(Imprimé en France)